中国科学技术馆

改变世界的中国科技力量

深海深地探测

中国科学技术馆 / 编著

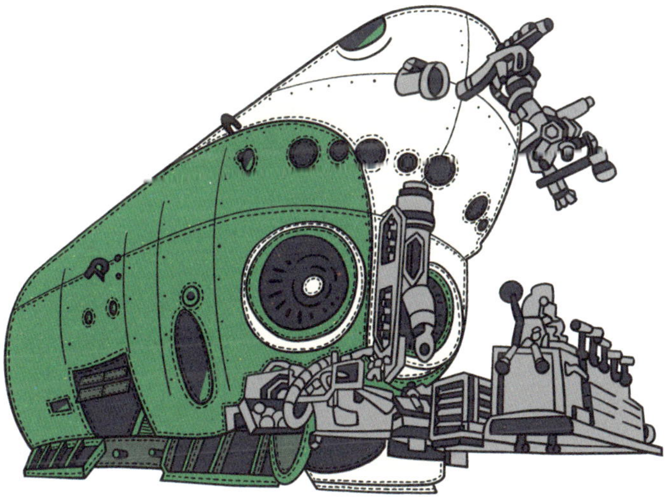

化学工业出版社

·北京·

图书在版编目（CIP）数据

深海深地探测 / 中国科学技术馆编著. -- 北京 : 化学工业出版社, 2025. 6. --（改变世界的中国科技力量）. -- ISBN 978-7-122-48063-7

Ⅰ. P71-49；P624-49

中国国家版本馆 CIP 数据核字第 20253JR336 号

责任编辑：刘莉珺　徐华颖　　文字编辑：蔡晓雅　　插画：刘　伟
责任校对：田睿涵　　装帧设计：史利平

出版发行：化学工业出版社（北京市东城区青年湖南街 13 号　邮政编码 100011）
印　　装：中煤（北京）印务有限公司
710mm×1000mm　1/16　印张 8　字数 70 千字　2025 年 11 月北京第 1 版第 1 次印刷

购书咨询：010-64518888　　售后服务：010-64518899
网　　址：http://www.cip.com.cn
凡购买本书，如有缺损质量问题，本社销售中心负责调换。

定　　价：58.00 元　

“改变世界的中国科技力量”丛书编委会

《深海深地探测》编写人员

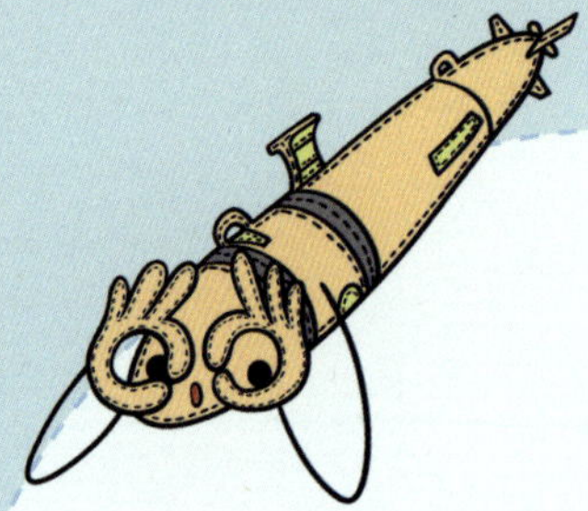

序·言

科技是国家强盛之基，创新是民族进步之魂。从新中国成立初期的科技奠基，到如今在全球科技舞台上崭露头角并成为具有重要影响力的科技大国，中国科技事业的每一次跨越，都凝聚着几代科研工作者的心血与智慧。为了让青少年真正了解中国科技的发展脉络，感受创新背后的力量，激发他们对科学的热爱与探索热情，中国科学技术馆精心策划并编写了这套“改变世界的中国科技力量”科普丛书。

这套书是一扇“动态生长”的科技窗口——它不设固定的内容边界，将始终紧跟中国科技的创新步伐，把每一个新领域的突破、每一项新技术的成熟，及时纳入其中。无论是已聚焦的卫星导航、载人航天等领域的标志性成果，还是未来将解锁的更多前沿方向，我们都希望通过讲清科技原理与展现实践价值的结合，让青少年走近科技：从北斗导航如何为全球提供精准定位服务，到“蛟龙”号、“奋斗者”号深潜时克服的技术难题；从生物医药攻关如何守护大众健康，到新能源技术怎样推动绿色发展转型……这些内容不仅源于中国科技的真实实践，更试图连接青少年的学习与生活，让他们明白科技不是遥远的“专业术语”，而是能切实改变世界、改善生活的创造力。

为了让这样的“科技对话”更有温度、更具深度，我们联合了各领域的权威专家与资深科普工作者：专家团队以严谨的态度和极高的学科素养把控内容的科学性，确保每一个知识点的内容都经得起推敲；科普工作者则用启发式的语言、生动写实的插图，打破“纸上谈兵”的局限，让晦涩的前沿科技知识变得可感可知。同时，我们还为这套书的难点内容配套了讲解视频，以二维码链接的形式呈现在书中，读者扫码即可“走进”科技馆，直观感受科技的神奇，进一步加深对知识的理解与记忆。我们始终相信，科普不该是静态的知识传递，而应是互动式的探索引导，策划这套书的初心，便是为青少年搭建这样一个“可触摸、可思考”的科技平台。

我们期待，这套书能成为青少年了解中国科技创新的桥梁：当他们读到科研工作者攻坚克难的故事时，能感受到自立自强的精神力量；当他们理解某项技术如何从设想变为现实时，能激发探索未知的好奇心。或许今天他们是在书中解锁科技知识的读者，未来他们会成为投身科技实践、为中国科研事业添砖加瓦的创造者。

最后，衷心感谢每一位参与丛书编写的专家与科普工作者——是你们的专业与用心，让这份“科技邀约”得以落地；也感谢化学工业出版社的鼎力支持，让这套书能顺利与读者见面。

现在，不妨翻开书页，一起走进中国科技的世界，见证那些改变世界的中国科技力量，也期待大家与我们一同迎接更多未来的科技惊喜。

中国科学技術館

CHINA SCIENCE AND TECHNOLOGY MUSEUM

前·言

海洋，是生命起源的摇篮；大地，是生命繁衍的根基，它们共同构筑成了我们伟大的地球母亲。每一寸土地、每一滴海水都承载了岁月冲刷的痕迹，蕴藏着无尽的资源，见证了沧海桑田的变迁。也许曾好奇：地球更深处是一个怎样的世界呢？是像《地心游记》里描述的那样，充满光怪陆离的神奇场景？还是在深邃的黑暗中，存在着一个与地表相似的世界？又或者，那里只有坚硬冰冷的岩石？让我们一同在书海中遨游，揭开深海深地的神秘面纱吧！

书中藏着许多有趣的故事，等待我们去探寻。不妨一起走进书本，领略深海深地的多样景色，探索其中的无穷奥秘。

什么是蓝色疆土？它与陆地有何不同？又藏着哪些神奇？

深海战略三部曲是怎样的蓝图？如何指引我们探索深海？

载人深潜三剑客是哪些“英雄潜艇”？它们有着怎样的传奇经历？

被称作深海“胖精灵”的AUV是什么？有哪些出色的家族成员？

无人潜水器有哪些种类？我国的“明星”们创下了哪些纪录？

海上绿色工厂为何而建？又该如何打造？

深海宝藏有哪些？该如何探寻与守护？

把地球比作鸡蛋，蛋壳之下是否有神秘世界？我们能挖通这颗“鸡蛋”吗？

地下藏着怎样的秘境？挖开它又能看到哪些趣事？

钻洞领域有哪些“巨星”？它们在深地探索中发挥着怎样的作用？

愿这本科普读物能化作一艘探索之舟，载着你驶入深海深地的奇妙世界。在这里，你能见识到未曾想象的景象，感受先辈们勇闯未知的豪情，也能在心中埋下好奇的种子。当你翻完最后一页，或许不仅记住了“蛟龙”号、“深海勇士”号、“奋斗者”号的深海壮举、地核地幔的神秘构造，更能读懂每一代探索者眼中的执着与热忱，进而找到属于自己的探索方向。这条路上或许会有风雨，但每一步前行都将有独特的收获。

本书记载的深海深地探测故事，亦是丛书“改变世界的中国科技力量”中浓墨重彩的一笔。这套丛书旨在展现中国科技在各个领域的突破性进展与非凡力量，让更多人看见中国科技工作者们如何以智慧与汗水，在改变世界的征程上留下深刻足迹。《深海深地探测》的出版，正是希望将中国在这一领域的探索成果与精神力量传递给大家，让更多人了解中国科技的实力，激发读者对科学的热爱与对未知的探索欲，共同见证并参与到中国科技改变世界的进程中。而最重要的是，愿我们始终怀着对自然的敬畏，在探索中学会与地球母亲温柔共处。

目·录

地球，是人类赖以生存的家园！人类所有的活动，基本都集中在地球的表面，而地表大部分都是海洋，仅有不到1/3是陆地。即使是这样，人类对1/3陆地之下的探索也仅仅只是开始。目前人类所能到达的地底最深为12262米，连地球这个“鸡蛋”的蛋壳都没有打破。人类目前对于海洋的探索与开发主要集中在浅海区域，对人类难以到达的深海区域还知之甚少，对它的探索和开发目前处于起步阶段。

那么，深海与地底都有什么呢？让我们怀抱着强烈的好奇心，来对地球母亲的深海深地进行探测吧！看看地球都有着什么“宝贝”。

揭秘蓝色疆土：它到底是什么神奇之地？

什么是蓝色疆土？

什么是蓝色疆土？在回答这个问题之前，我们先来了解一下疆土的概念。所谓疆土，也即领土，是指一个国家在其主权管辖下的地理空间，包括领陆、领水（内水和领海）以及二者对应的领空和底土，它是一个国家行使国家主权的地理空间。而蓝色疆土涵盖了一个国家的内水、领海以及其他管辖海域。其中，内水指的是一个国家领土内部的水域资源，我国的内水包括长江、黄河、渤海等。领海是与国家内水相邻且宽度不超过 12 海里（即 22.224 千米）的海洋区域，我国的领海主要包括渤海、黄海、东海、南海这些海域。其他管辖海域则包括领海以外的一部分海洋区域，

最远可延伸至距离内水 200 海里（约 370.4 千米）。每个国家的海洋情况各异，管辖海域的大小也有所不同。中国有 300 万平方千米的蓝色疆土，是国家领土的重要组成部分，蕴含着丰富的资源，也属于国家行使主权的范围。

蓝色疆土的魔力：它究竟有何作用？

• 国家安全：蓝色疆土是国家领土的重要组成部分，对于构建海上防线、保卫国家安全具有至关重要的意义。

• 资源丰富：海洋占据了地球表面积的71%，蓝色疆土中蕴藏着大量的矿产资源、生物资源和能源资源。例如，海洋中的鱼类、藻类等生物资源，不仅有利于维持地球生态平衡，还可以作为食物解决粮食问题；海洋中的矿产资源，如铁矿、煤矿、多金属结核等，对国家的基础设施建造和航空航天发展有着很大的帮助；海洋中的石油和天然气资源，有助于解决能源危机；海洋中的潮汐能、地热能等可再生资源，可为人类生活提供干净环保可循环

的能源，有利于保护环境，实现人与地球的和谐相处。

• 经济发展：随着科技的发展和全球化的推进，海洋经济已经成为世界经济体系中的重要组成部分。海洋经济包括海洋渔业、海洋交通运输等，一个拥有蓝色疆土的国家，可以更好地发展海洋经济，帮助解决国家的就业问题，同时丰富国家经济体系，促进国家经济增长。此外，拥有领海的国家通常拥有港口，有利于推动海洋运输业的发展，增进与外界的交流与贸易，实现更大的进出口交易规模，加强与世界各国之间的交流，推动全球整体经济的发展。

• 科技进步：海洋科技主要包括海洋地质勘探、海洋生物制药、海洋化学、海洋探测装备等多个领域。一个拥有蓝色疆土的国家

可以开展针对海洋的研究，如海洋中的地质变迁、海洋生物的进化过程、海洋中的化学能研究以及探索海洋离不开的设备研究等，而这些研究有利于国家的科技进步与科技创新。

> **海洋地质学**
>
> 海洋地质学是研究地壳被海水淹没部分的物质组成、地质构造和演化规律的学科。海洋地质学涉及海岸与海底的地形、海洋沉积物、洋底岩石、海底构造、大洋地质历史和海底矿产资源等内容。

此外，目前世界面临着资源缺乏的困境，而海洋中存在着大量的资源，随着海洋科技的发展，国家可以研发出更多先进的设备，同时对海洋进行探索，获得有关海洋的大量数据和资源，这对后续国家大力开发海洋资源有着很重要的意义。

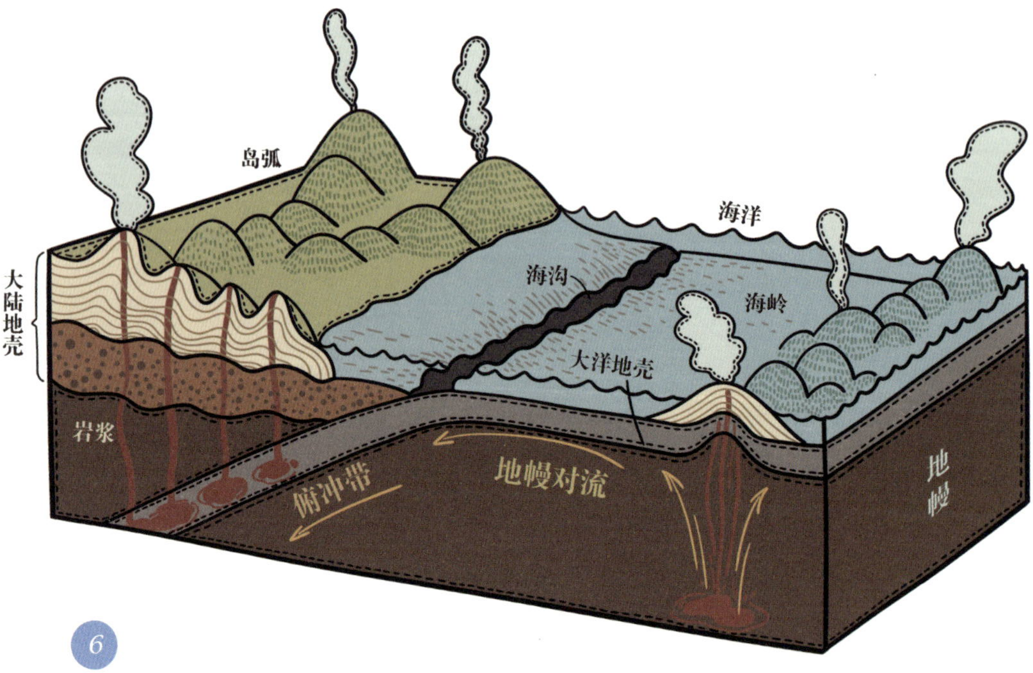

走进科技馆

潮涨潮落

在探索海洋奥秘的漫长历程中，人们逐渐揭开了潮汐的神秘面纱。潮汐，这一周期性涨落的海水现象，不仅塑造了壮丽的海岸景观，更蕴含着巨大的能量与深厚的文化内涵。

“潮涨潮落”展品通过互动体验与多媒体演示，带领人们深入理解这一自然奇观。潮汐的形成源于月球和太阳引潮力的作用，海水因此呈现出周期性的涨落，白天的涨落称为“潮”，晚上的涨落称为“汐”。这种规律不仅是大自然的韵律，更被人类的智慧转化为可持续利用的宝贵自然资源。

在能源开发领域，我国沿海的潮汐电站利用双向发电技术，将潮起潮落的动能转化为电能，为沿海地区提供清洁能源。全球多个国家正探索大型潮汐能项目，通过涡轮机组捕获潮汐能，其稳定性和可预测性相较于风能与太阳能更具优势。航运业则依托精确的潮汐预测系统，通过精确计算港口水深等变化，科学规划大型船舶进出港时间，显著提升港口运转效率。渔业生产同样受益于潮汐规律，渔民根据潮水涨落周期调整捕捞作业，在保障安全的同时提升渔获效率。

潮汐的影响远不止于此。科学研究表明，潮汐的长期作用正悄然改变地球。潮汐摩擦持续减缓地球自转速度，这种微观变化通过卫星测距技术得以精确捕捉。从东汉王充《论衡》中“涛之起也，随月盛衰”的朴素认知，到现代科技对潮汐的精准预测，人类对潮汐的理解不断推动着海洋科技发展。如今，潮汐不仅是海岸线律动的脉搏，更成为连接古代智慧与现代科技的特殊纽带。

开发蓝色疆土大行动：我们该如何出手？

蓝色疆土对于一个国家的重要性不言而喻，因此我们必须全力加强对它的保护、探索与开发。

然而，在进行探索和开发的过程中，我们务必做到在对海洋资源进行开发和利用的同时，大力发展海洋经济，并且要格外注重对海洋环境的保护，积极促进海洋的生态修复。我国在海洋开发的进程中，始终坚定不移地奉行保护环境的原则，严防海洋生态环境的恶化，积极推进海洋科技创新，以此推动海洋经济实现高质量发展。

海洋生态修复

是人为干预和自然机理相结合的生态过程。海洋生态系统是海洋生态修复的对象，海洋生态修复不仅包括生物群落结构重建、生境的恢复与改善，还包括生态功能的修复。海洋生态系统，就像人体一样，也具有主动治愈创伤的能力。

具体而言，我们可以从以下几个方面入手。

- **加强海洋保护法律法规的制定和执行，严格监管海洋开发活动，确保其符合环保要求。**我国制定了《中华人民共和国海洋环境保护法》等相关法律法规，对海洋污染防治、海洋生态保护等方面做出了明确规定，并加强了对海洋开发活动的监管力度。

- **加大对海洋科研的投入，培养专业的海洋科研人才，提高海洋资源开发的技术水平和效率。**我国在海洋科研领域取得了不少成果，如“蛟龙”号载人潜水器的研发和应用，为深海探测和资源开发提供了重要技术支持。

• **推动海洋产业的转型升级，发展绿色海洋经济，如海洋可再生能源、海洋生物医药等新兴产业。**我国在沿海地区大力发展海上风电，利用海洋风能资源发电，减少对传统能源的依赖，同时也积极开展海洋生物医药的研发，利用海洋生物资源开发新药和保健品。

• **加强海洋生态系统的监测和评估，及时发现和解决海洋环境问题，保护海洋生物多样性。**我国建立了海洋生态监测网络，对海洋水质、海洋生物等进行定期监测，及时掌握海洋生态环境的变化情况，并采取相应的保护措施。

• **促进国际合作，共同应对海洋挑战，分享海洋资源开发和保护的经验和技术。**我国积极参与国际海洋合作，与其他国家共

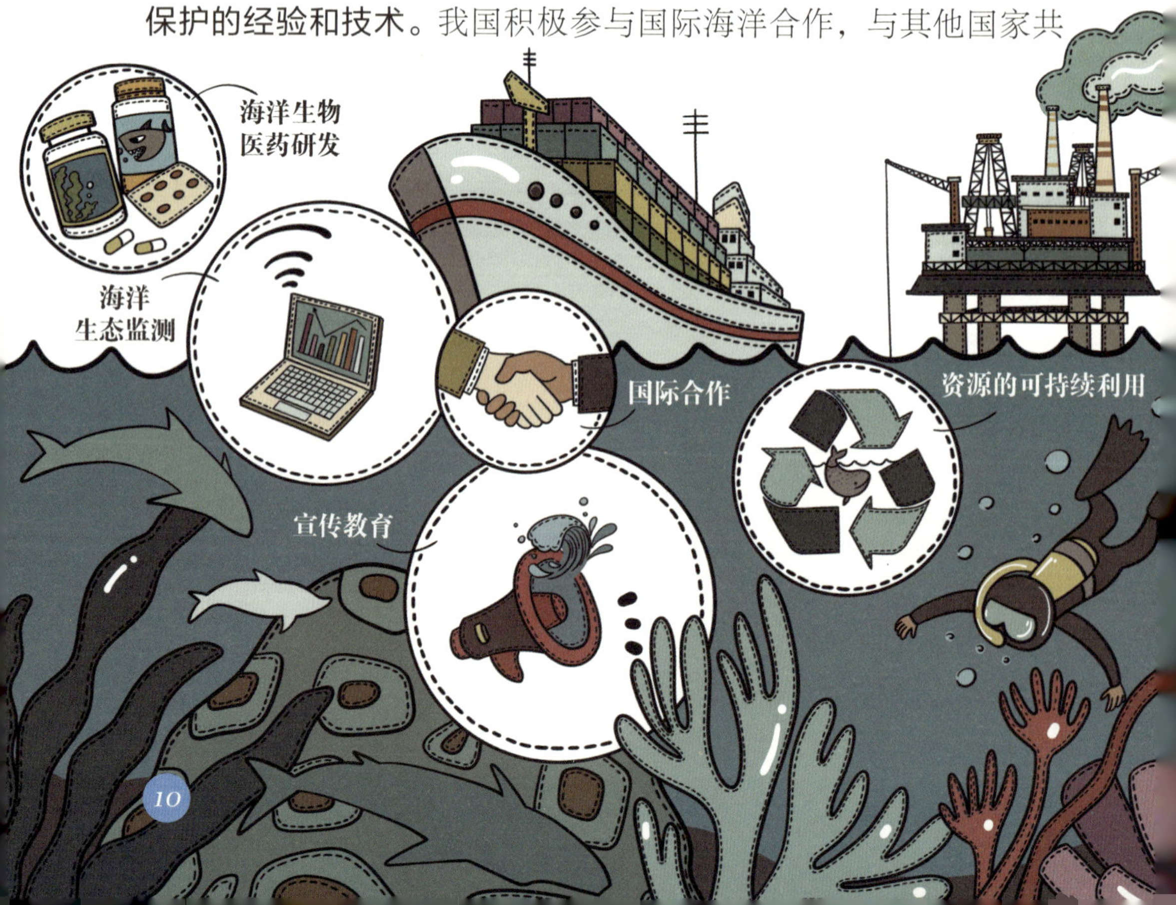

同开展海洋科学研究、海洋资源开发等活动，如参与国际海底矿产资源的勘探和开发等。

• **加强公众的海洋保护意识，加强海洋保护的宣传教育，鼓励公众参与海洋保护行动。**通过开展海洋科普活动、举办海洋文化展览等方式，加强公众对海洋的认识和保护意识，引导公众积极参与海洋保护行动。

• **优化海洋资源的管理和配置，确保资源的可持续利用，实现经济效益、社会效益和环境效益的统一。**我国加强了对海洋资源的管理，制定了海洋资源开发规划，合理配置海洋资源，避免过度开发和浪费。

• **加强海洋基础设施建设，提高对海洋灾害的防御能力，保障海洋经济的安全发展。**例如，我国加强了沿海港口、码头等基础设施的建设，提高了海洋运输能力，同时也加强了海洋防灾减灾体系的建设，提高了应对海洋灾害的能力。

总之，开发蓝色疆土需要我们在保护海洋环境的前提下，充分发挥科技的力量，合理开发利用海洋资源，推动海洋经济的可持续发展，实现海洋与人类的和谐共生。

海洋生物药物

海洋生物药物为从海洋动植物及微生物体内提炼、萃取的新型有机化合物，广泛应用于现代新药物的研制与合成。中国是世界上最早研究和应用海洋生物药物的国家之一，至今已有两千多年的历史。

海洋卫士

海洋作为地球最大的生态系统，承载着调节气候、提供生物资源、支撑全球经济的重要功能，是人类赖以生存的蓝色家园。然而，随着人口增长与消费模式改变，海洋正面临垃圾泛滥的严峻威胁，这一危机不仅破坏了海洋生态平衡，也直接威胁着人类的未来。

“海洋卫士”展品以独特的方式向观众揭示了这一紧迫问题，展品通过上千颗小球在空中吊装成双面错觉艺术装置，从不同角度分别展示“共生”字样和鲸的形象，描绘出人类与海洋的命运交织。地面上，三项模拟清理海洋垃圾的游戏，揭示出人类活动产生的各种废弃物，比如塑料、玻璃、金属、橡胶等。海洋垃圾的激增，严重影响海洋生态系统平衡。治理海洋垃圾，尤其是塑料污染物的防治，是一个全球性的挑战。根据联合国环境规划署（UNEP）2021年发布的评估报告《从污染到解决方案：海洋垃圾和塑料污染全球评估》，目前海洋中仍有大约7500万

至 1.99 亿吨塑料垃圾，占据海洋垃圾总重量的 85%。海洋中的鱼类、海鸟、海龟等生物常常将漂浮在海面上的塑料垃圾误认为是食物而吞食，导致窒息死亡，对整个海洋生态系统造成了不可逆转的损害。同时，直径小于 5 毫米的“微塑料”一旦被鱼类食入再作为食物摆上餐桌，还会通过食物链传递，使得人体中也可能含有微塑料，最终影响人类健康和生活质量。

面对这一全球性挑战，我国积极行动，从源头治理海洋垃圾。通过推行垃圾分类、将塑料废弃物回收利用，减少塑料垃圾进入海洋的可能性。同时，通过科普宣传、教育活动以及媒体传播等方式，引导公众积极参与保护海洋志愿行动，共同营造良好的海洋生态环境。海洋不仅是自然的馈赠，更是人类的未来，唯有携手同行，才能让海洋的脉搏源源不断地为地球注入活力。

请思考：

1. 我国的蓝色疆土面积有多大？
2. 海洋中主要有哪些矿物资源？
3. 海洋渔业和我们的生活有什么关系？

中国深海战略三部曲是什么？

中国的深海战略三部曲，是指中国针对深海地区发展而提出的三步走战略，分为“深海进入”“深海探测”“深海开发”三个阶段，明确了海洋强国的实施计划。

首先是“深海进入”，这个阶段主要是发展可以让人们到达深海现场的技术，也就是要掌握深潜技术；其次便是“深海探测”，这个阶段主要任务是对到达的深海进行勘查探测，比如深海的地质情况、生物种类等等；最后便是“深海开发”阶段，意味着人类将对深海范围内的资源进行开发，直接将资源用于人类的发展。这三个阶段一环扣一环，共同构成了中国的深海战略，让我们能够不断深入探索深海，利用深海的资源和优势，为国家的发展和人类的进步做出贡献。

深海什么样？

深海在海洋学上是指透光层以下的海，一般在深度200米以下。深海中的环境比较恶劣，光线很暗，温度很低，氧气含量也非常低，并且进入那么深的海洋之中，人体和一般的设备都会承受很大的压力，就像有人在你的身上放上几百辆坦克一样，如果人类或者一些普通的设备不采取任何措施就进入深海，可能会瞬间爆炸，这是非常不利于人类对它的探索和开发的。

深海里藏着“大任务”？它到底有啥用？

一直以来，人类对海洋的探索与开发主要集中在浅海区域。然而，浅海已无法满足人类那无穷无尽的好奇心。人类的目光从来都不会停留于已知的领域，对于未知的事物，我们总是充满了强烈的探索欲望。而深海，恰恰是目前人类尚未完全了解的神秘地带之一。如今，随着科技的飞速发展，人类已经具备了深入深海区域的能力，正式开启了对深海的探索与开发之旅。

深海里的“大任务”：深海战略三部曲的展开意义非凡。它能够极大地拓展人类的知识边界，让我们有机会认识那些从未见过的海洋生物，发现珍贵的资源。这不仅对科学家的研究工作有着巨大的推动作用，还能帮助我们更加全面、深入地了解海洋生态系统，掌握海洋资源的分布情况。对深海的探索与开发，就如同

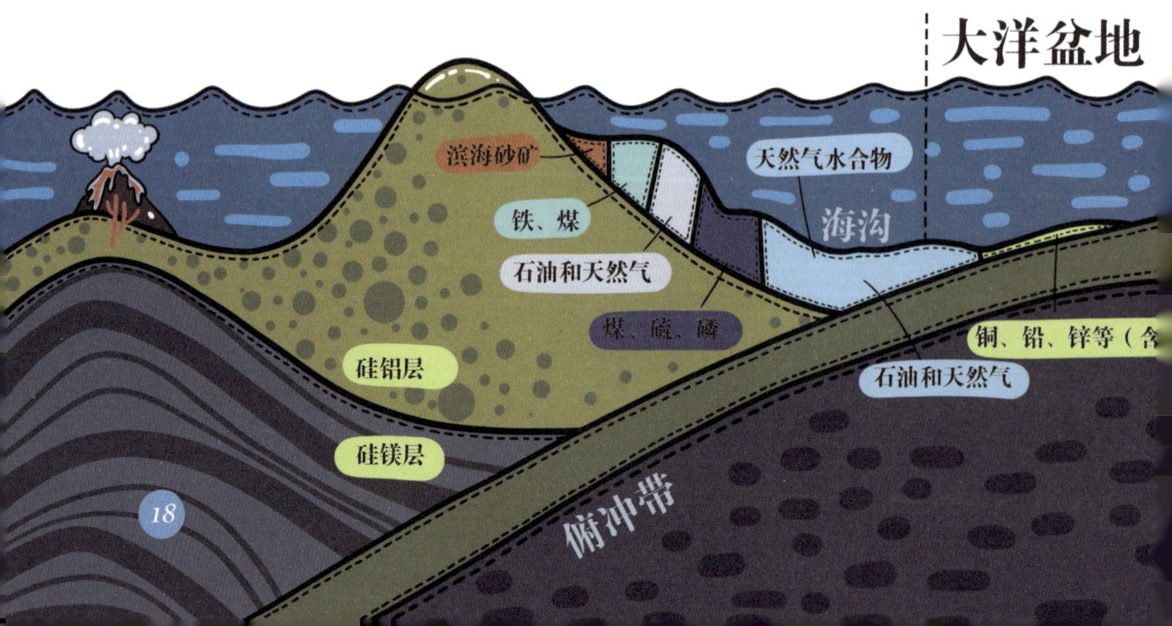

打开了一扇通往全新世界的大门，为人类的未来发展提供了无限的可能性。

深海之中蕴含着丰富的资源。目前人类对深海的开发已经让我们初步见识到了它的宝藏。首先是生物资源，深海主要有三种类型的生物：浮游生物是一些微小的生物，如硅藻、轮虫等；底栖生物包括海绵、海葵等无脊椎动物，以及海带、紫菜等底栖植物；游泳生物主要是一些动物，像乌贼、章鱼等。这些生物经过漫长的进化，已经适应了深海恶劣的环境，拥有独特的生存方式和生物特征。其次是矿物资源，如铜、锌、镍等金属元素，可广泛应用于建筑、航空航天、航海等领域，对经济发展起着重要作用。深海还存在许多金属硫化物和稀土元素，这些元素在高科技产业和国防领域具有不可替代的地位。此外，深海中的大量石油和天然气资源，能够有效缓解能源危机。

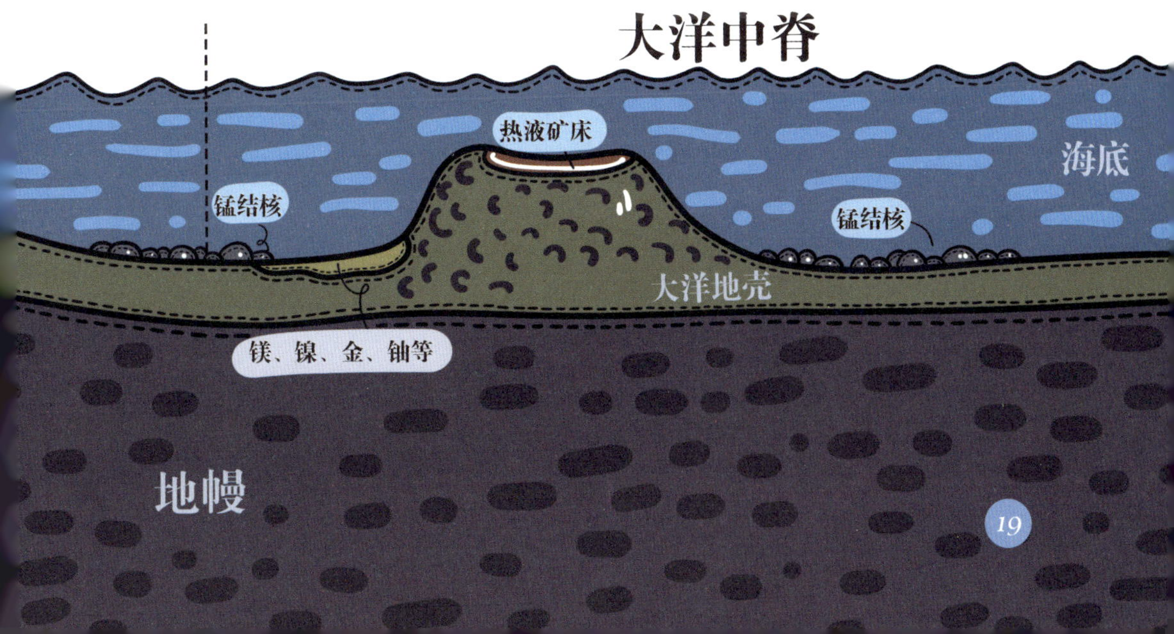

浮游生物

浮游生物是指生活于水中而缺乏有效移动能力的漂流生物，它们的生活方式是随波逐流，完全或几乎完全依赖水流来移动。浮游生物根据营养方式可以分为浮游植物和浮游动物。浮游植物主要通过光合作用获取能量，而浮游动物则以浮游植物或其他有机物为食。浮游生物在水域生态系统中扮演着重要角色，它们是水环境中鱼、贝、虾等淡水动物的主要饵料，对维持水域生产力具有重要作用。此外，浮游生物制造的氧气量约占全球氧气总量的一半，是地球氧气的重要来源之一。

海洋暮光层

深海中深度 200 ~ 1000m 的区域，是一片神奇而广阔的幽暗水域，被称为暮光层。暮光层水域富集各种生物，包括鱼类、甲壳类动物等。同时，暮光层水域鱼类的总量可能是目前全球海洋表层鱼类捕获量的 100 倍。暮光层的生物对全球碳循环也有很大影响。生活在暮光层的生物体每天晚上游到海洋表层吃掉大量的浮游生物和鱼类，白天又下沉到海洋深处。因此，对海洋暮光层生态系统的观测和记录是一个难点。

那么，为什么要实施深海战略呢？随着社会的不断发展，人类对资源的需求日益增长，陆地和浅海的资源总有一天会面临枯竭的困境。而深海中存在着大量的油气资源、金属资源。这些资源对于保障国家乃至世界的能源安全具有至关重要的意义。从国家层面来看，加快深海资源的开发，能够降低对资源的进口需求，实现更大程度的自给自足，进而保障国家安全。同时，开展深海战略必然会促进与深海探测、开发相关的科技产品的发展，带动深海捕鱼、海上运输等产业的繁荣，对国家乃至世界经济产生积极的影响。为了抢占先机，我们必须大力发展深海战略三部曲。

深海战略关乎着我们的未来。让我们一起关注深海探索，为人类的发展贡献自己的力量吧！

发展深海战略，怎么做？

发展深海战略，可以先从科技方面着手。

深海区域的环境极为恶劣，普通设备根本无法承受巨大的水压。即便有设备能够到达深海，以当前的技术水平也难以充分支持对深海资源的探索与开发。所以，必须将重点放在科技领域，全力研究并制造出适用于深海区域的先进设备。有了这些先进设备，才能更好地对深海进行探测与开发。

在对深海进行探测开发的过程中，还需确保不对海洋造成任何污染。要努力实现设备和资源的循环利用，一旦设备出现故障，

必须能够顺利回收，坚决不能在海洋中留下任何垃圾。我们的设备在对深海进行探索的同时，也能对地球母亲起到保护作用，实现人与自然的和谐共处。我们要明白，如果地球的污染问题严重，即使能够从深海中开采出大量资源，也很可能没有机会去使用它们。

海洋垃圾

海洋垃圾是指海洋和海岸环境中具持久性的、人造的或经加工的固体废弃物。海洋垃圾影响海洋景观，威胁航行安全，并对海洋生态系统的健康产生影响，进而对海洋经济产生负面效应。

这些海洋垃圾一部分停留在海滩上，一部分可漂浮在海面或沉入海底。正确认识海洋垃圾的来源，从源头上减少海洋垃圾的数量，有助于降低海洋垃圾对海洋生态环境产生的影响。

其次，人才培养至关重要。要知道，我们对深海的了解还很有限，设备也不够先进，而深海方面的专业人才更是少之又少。

所以，一方面必须大力培养能够从事对深海设备进行研究、维修等工作的人才。他们能为深海探索提供坚实的技术保障，确保设备正常运行并不断改进升级。另一方面，在对深海进行探索后，需要有专业人才对相关数据进行收集和处理，并将这些宝贵的数据留给后代。否则，我们对深海的探测将失去意义。

除此之外，我们还需要培养能够回收海洋垃圾的人才。地球母亲的自我调节能力是有限的，我们必须把海洋中的垃圾清理并带走，才能有效保护海洋生态系统。不然，最终受伤的只会是我们自己。

目前与海洋科学相关的人才体系并不完善。我们需要不断完善人才培养体系，为后续的深海战略开展筑牢坚实基础。只有这样，我们才能在深海探索的道路上走得更远，潜得更深。

深海战略三部曲取得了哪些成就？

在深海战略三部曲的推进过程中，我们国家已经取得了诸多令人瞩目的成就。

在“深海进入”阶段，中国自主研发的“蛟龙”号载人深潜器大放异彩。它出色地完成了一系列深潜任务，下潜深度超 7000 米，这 壮举让中国成为继美国之后第二个具备深海载人潜水能力的国家。“蛟龙”号就像一位勇敢的深海探险家，为我们打开了通往神秘深海世界的大门。

在“深海探测”阶段，中国的科学家积极行动起来，开展了一系列精彩的深海科学研究。他们对深海的生物、地质等方面进行了深入探索，努力揭开深海的奥秘。在此过程中，还研究出了深海地震仪、深海无人潜水器等先进设备。这些设备是科学家的得力助手，为后续国家对深海的探测和开发积累了无比宝贵的经验。

在“深海开发”阶段，中国将目光聚焦在深海的丰富资源上，主要对深海的矿产资源、油气资源等进行勘探和采样。虽然目前只是取得了一些初步成果，但这就像将深海宝藏的大门打开了一条缝隙，为后面深海开发的全面开展奠定了坚实基础。

总之，深海战略三部曲的成就让我们对未来充满信心，相信在不久的将来，我们会在深海领域取得更加辉煌的成就。

请思考：

1. 你最好奇海洋中的什么现象或问题呢？

2. 台风有没有影响到你的生活？它是怎么形成的？

3. 你关注天气预报吗？天气预报是怎么来的？

4. 你知道海洋油气的储量吗？它的开采和陆地油气开采有什么差异？

深海勇士
载人深潜
三剑客
都是谁？

载人深潜三剑客指的是我国自主研发的三台载人深潜器，分别是“蛟龙”号、“深海勇士”号和“奋斗者”号，它们都是我们国家载人深潜的勇士。

首先是"蛟龙"号，它是我国首台自主设计、自主集成研制的载人深潜器，设计可以下潜到海下7000米级，从2009年以来开展各种海下试验工作，并在2012年6月创造了下潜至水深7062米处的深潜纪录，对于我国的深海资源开发利用有着重要意义。"蛟龙"号长8.2米，宽3米，高3.4米，可承载3名航海员，在海中的最大运动速度可以达到每小时25海里，大约为每小时46.3千米。"蛟龙"号外形就像一条张开了嘴巴的大鲨鱼，其运动范围很大，可在全世界98%的海域中使用。

其次是“深海勇士”号，它是我国第二台载人深潜器，可下潜到水下 4500 米的深度。“深海勇士”号长 9.3 米，宽 3 米，高 4 米，尺寸比“蛟龙”号更大，它采用直径为 2.1 米的钛合金球体作为载人舱，这样可以让它在深海中保持稳定，更有利于航海员在舱中完成各种操作。自 2017 年问世，到 2021 年 12 月，“深海勇士”号已经完成了 400 余次载人深潜的任务，并于 2017 年首次执行下潜任务时，下潜到水下 4534 米的深度，这也标志着我国的载人深潜技术达到了一个新的阶段。“深海勇士”号是深海之中的勇士，用它优良的性能为国家探索深海中的奥秘，为后续的全海深载人深潜器打下了坚实的基础。

最后便是“奋斗者”号，它是我国自主研发的第三台载人深潜器，同时也是我国第一台可以下潜到海底 10000 米深度的载人潜

“深海勇士”号

马里亚纳海沟

马里亚纳海沟（Mariana Trench 或 Marianas Trench），又名玛利亚娜海沟。位于 11°20′N，142°11.5′E，即菲律宾东北、马里亚纳群岛附近的太平洋底，北起硫黄列岛，西南至雅浦岛附近。其北部有阿留申、千岛、小笠原等海沟，南有新不列颠和新赫布里底等海沟，全长 2550 千米，为弧形，最宽约 70 千米。据估计这条海沟已形成 6000 万年。这里水压高、完全黑暗、温度低、含氧量低，且食物资源匮乏，因此成为地球上环境最恶劣的区域之一。

斐查兹海渊是马里亚纳海沟最深处，深度约 11034 米，是已知的海洋最深处，中国“蛟龙”号 2017 年在此采集生物与地质样本，“奋斗者”号 2020 年下潜至 10909 米深处。

水器。“奋斗者”号长 10.3 米，宽 3.2 米，高 4.5 米，就像一台大型客车一样，同载人深潜三剑客中的其他两台潜水器一样，可同时承载 3 人。“奋斗者”号在 2020 年问世，问世以来已开展了

“奋斗者”号

多项试验工作，并且在2020年10月27日在世界上最深的马里亚纳海沟下潜到了水下10058米深处，创造了中国载人深潜的最深纪录。在半个月后的11月10日，同样在马里亚纳海沟，“奋斗者”号下潜到了海底10909米的深度，刷新了载人深潜的世界纪录。在此之后，“奋斗者”号正式交付科考人员，继续着它的载人深潜之旅。

载人潜水器具有哪些能力？

深海三剑客是我国载人深潜技术发展的见证者，同样也是我国载人深潜之路的先行者，它们的问世，标志着我国载人深潜技术站上了一个新的台阶，意味着我们已经可以到达 10000 多米深的海底，意味着我们即将亲手解开深海的奥秘，意味着“下五洋捉鳖”这个梦想已经实现，意味着我们的深海战略三部曲的成功一定会到来。深海三剑客是国家进行载人深潜的利剑，想要成为深海中的利剑，成为载人深潜的勇士，需要满足多方面的要求。

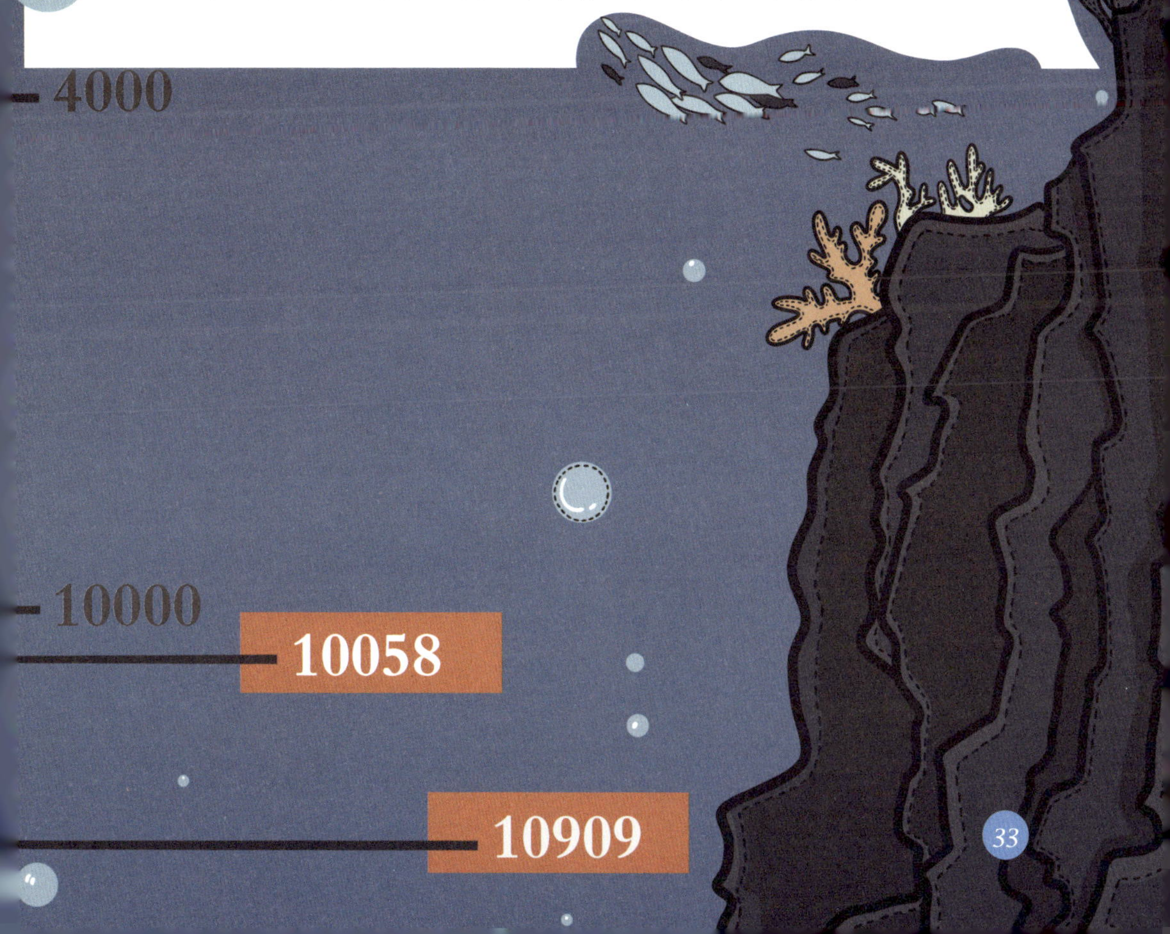

载人深潜器的必备能力

强大的抗压性：在万米深海，水压约合 1000 个标准大气压，相当于“2000 头非洲象踩在一个人的背上”。载人深潜器要能承受深海中海水的巨大压力，这就需要其具有极高的强度，能够在一定范围内承受几十吨的重量而不被破坏。

良好的密封性：确保进入海洋后不会漏水而导致设备故障，在水中能够正常工作。

出色的抗腐蚀性：海洋中海水含盐量高，会对潜水设备造成腐蚀，所以载人深潜器必须具备良好的抗腐蚀性，以保证在深海中正常工作并延长使用年限。

合理的结构和外形：使载人深潜器在深海中能够正常运动和

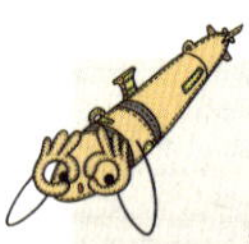

密封

密封可分为静密封和动密封两大类。密封是防止流体或固体微粒从相邻结合面间泄漏以及防止外界杂质如灰尘与水分等侵入机器设备内部的零部件。静密封也称固定密封，被密封组件间无相对运动，一般依靠密封垫片实现。常用于固体件之间的密封，比如用于密封舱、法兰等。

水下作业

液压机械手是一种能模仿人手和臂的某些动作功能，通过液压驱动系统实现指定操作的装置。它主要由液动机（各种油缸、油电机）、伺服阀、油泵、油箱等组成驱动系统，通过液压驱动机械手执行机构进行工作。

工作。

强大的稳定性和安全性：确保人类进入水中后可以正常、安全地工作。

强大的作业能力：能够在深海中完成各种任务。

精准定位和导航能力：避免在深海中迷失方向。

强大的通信系统：保证与地面人员的联系畅通。

如果载人深潜器不具备这些能力，工作人员不仅无法正常工作，还可能陷入危险境地，面临无尽的黑暗甚至死亡，这是绝对不能发生的。

“蛟龙”号结构图示意

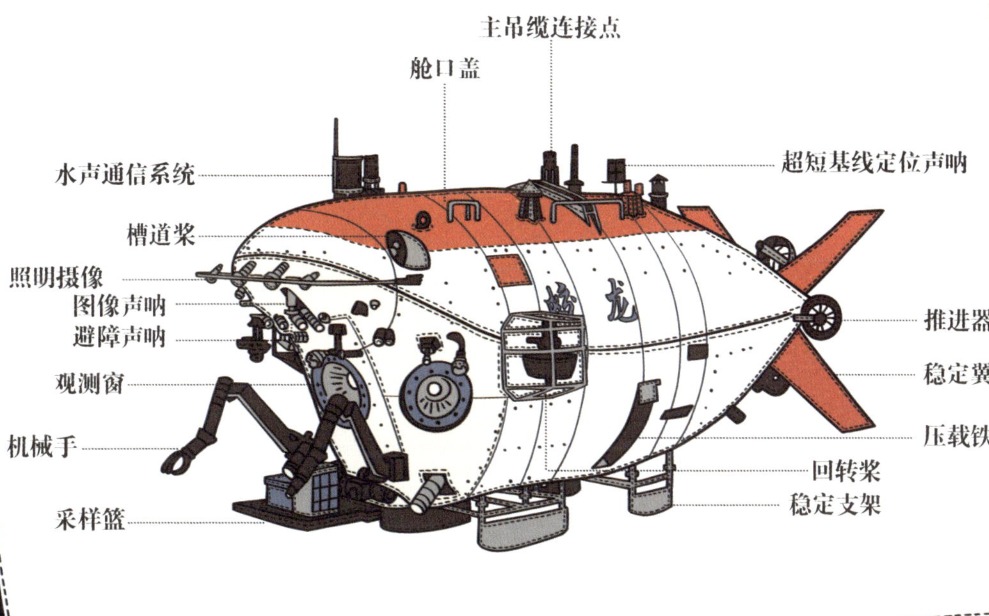

提高载人深潜器强度的方法

选择合适的材料：制作载人深潜器的材料必须具有很高的强度和耐腐蚀性，可以选择铝合金、钛合金、陶瓷、复合材料等。铝合金和钛合金密度小、强度高、耐腐蚀性能好，主要用作载人深潜器的外壳材料。

优化结构设计：目前载人深潜器常用结构包括球壳结构（作为潜水器的外壳，主要用钛合金等金属作为材料，可承受海水中较大的压力）、内部支撑结构（用于支撑潜水器内部设备）、用于平衡重量的浮力结构（用泡沫塑料等作为材料）。还可以从密封技术等方面提高深潜器的强度，保证其在水下不会发生故障。

总之，成为载人深潜的勇士，需要载人深潜器具备多方面的卓越能力，并通过不断优化材料和结构设计等方法提高其强度，以确保在极端恶劣的深海环境中安全、高效地工作。

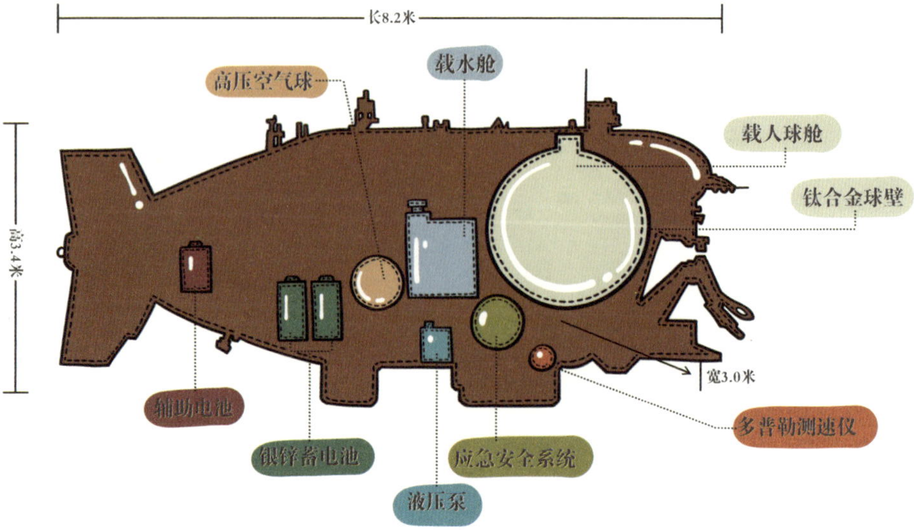

未来的载人深潜器会是什么样？

前面为大家介绍了“蛟龙”号、“深海勇士”号和“奋斗者”号三台载人深潜器，包括它们的结构和能力等，那么以后的载人深潜器会发展成什么样呢？这就需要我们一起开动脑筋，学习知识，自己来对它进行设计喽！相信以后的载人深潜器一定会在大家的奇思妙想之下变得既好看又实用，还能一器多用，说不定大家设计的载人深潜器不仅仅会用在科学研究上，还可以带着大家一起去深海旅游呢。

请思考：

1. 你在科技馆看过载人深潜器的介绍和模型吗？
2. 我们国家的载人深潜器在世界上是什么水平呢？
3. 载人深潜器依靠什么实现下潜和上浮呢？

AUV——深海遨游的“小胖子”，你认识吗？

AUV 的英文全拼是 autonomous underwater vehicle，也就是自动无人潜水器，它是一种能够独立在水下运动并完成任务的机器人，主要用于海洋科学方面的研究，进行海底勘探、水下考古和救援等方面的工作，是海洋开发、水下作战的利器。简单来说，AUV 就是一台可以自主移动的机器人，只不过它的工作场景是水下，需要在水下完成各种人类赋予它的使命。

AUV 具有比载人深潜器更远的发展历史。AUV 起源于 20 世纪 50 年代，当时美国的华盛顿大学研制了世界上第一台 AUV。随着科技发展与迭代，AUV 逐渐发展成为一种非常重要的水下机器人技术，并被广泛应用。中国著名的 AUV 有“潜龙三号”“悟空”号“思源”号，世界上著名的 AUV 有澳大利亚的“DeepSea Challenger”号、英国的“Boaty McBoatface”号和日本的“Kaiko”号等。

PX-533重型AUV

AUV 应用在什么样的场景中？

AUV 的应用场景主要是在深海之中，包括海洋科学研究、海底勘探、水下考古、水下救援等方面。海洋科学研究主要是指对海底进行探测和样本采集，收集海洋生物的信息，获取海底的地形特征、地质构造等信息，同时绘制出海底的地图，帮助相关科学家更好地了解深海的地质结构和海洋生态系统。海底勘探主要是对深海中的矿物资源与石油、天然气等进行勘探，便于人类的开采。水下考古主要是寻找和记录古代淹没在海洋中的船舶和一些其他的古代物品。水下救援主要是针对一些失事的船只和被困人员，

可以用 AUV 进行搜寻，将信息传回陆地后派遣船只进行救援。

此外，AUV 还可以用于军事领域，使用它来进行潜艇的侦察、鱼雷的清除等工作和一些其他的水下军事应用。在工程领域，AUV 可以用于对海下的管道和设备进行维修。

最后，AUV 也可以用于海洋环境的监测，及时发现污染源和掌握海洋污染情况，为海洋环境的保护提供数据支持，可以很好地帮助维持海洋生态系统的稳定。

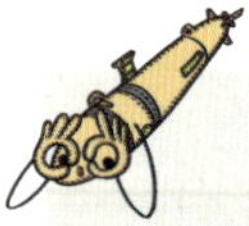

水下考古

“南海一号”是南宋初期一艘沿海上丝绸之路向外运送瓷器时失事沉没的木质古沉船，从泉州港驶出，沉没地点位于中国广东省附近海域，1987年在阳江海域发现，是国内发现的第一个沉船遗址，距今800多年，但因技术及资金问题而延迟研究，于2007年整体打捞出水。

“南海一号”是迄今为止世界上发现的海上沉船中年代最早、船体最大、保存最完整的远洋贸易商船，它为复原海上丝绸之路的历史、研究陶瓷史提供了极为难得的实物资料，甚至可以提供文献和陆上考古无法提供的信息。此后发现，船上载有文物6万至8万件，且有不少是价值连城的国宝级文物。

浅水水下救援

是指专业潜水救援人员在水下进行的救援行动，旨在搜寻落水载具内的被困人员、打捞及救助溺水群众等。水下救援因其突发性强、技术要求高、危险性大，成为一项重要的应急救援工作。

为什么要发展AUV技术？

我们国家的载人深潜技术已经处于世界前列，但为什么还要发展自动无人潜水技术呢？这是因为，与载人深潜器相比，AUV 具有其独特的优势。第一，AUV 的开发成本更低。由于载人深潜器的运行和维护成本较高，而 AUV 的成本相对较低，因此在相同的预算条件下，我们可以研究和制造更多的 AUV。此外，AUV 作为无人潜水器，不需要单独培养操作人员，进一步降低了成本。第二，AUV 的工作效率更高。AUV 能够在水下自主导航和探测目标，无须人工干预，从而能够更快速地完成任务，提高工作效率。

第三，也是最重要的一点，AUV 的安全性更高。深海环境恶劣，含氧量低，光线微弱，甚至可能存在未知的巨型生物，人类在深海中时刻面临未知的危险。而 AUV 作为自主在水下运动和探测的无人潜水器，可以在水下长时间工作，无须操作者进入水中，因此不需要考虑人员的安全问题，其安全性自然更高。第四，AUV 可以根据作业海域的环境和任务需求进行定制，适应世界上不同海域的水下环境和任务需求，展现出更强的适应性。自动无人潜水器与载人深潜器对应的是两种不同的深潜技术，各有其优点和局限性，因此我们需要根据不同的环境和任务需求选择最合适的设备进行作业。尽管两者各有优劣，但它们共同为国家的海洋科学研究和深海探测提供了坚实的数据基础。

AUV 由哪些系统组成？

AUV 主要由控制系统、推进系统、能源系统、导航定位系统等组成。控制系统，也就是 AUV 的大脑，负责控制 AUV 各个系统的工作，根据收集到的信息做出相应的决策，并给其他的系统发号施令。推进系统，也就是 AUV 的腿，一般是涡轮推进器和螺旋桨推进器，有了它，AUV 可以根据控制系统的指令在深海中做出相应的操作，到达目的地并完成探测、收集信息等任务。能源系统，也就是电池，相当于 AUV 的心脏，为 AUV 提供动力源，

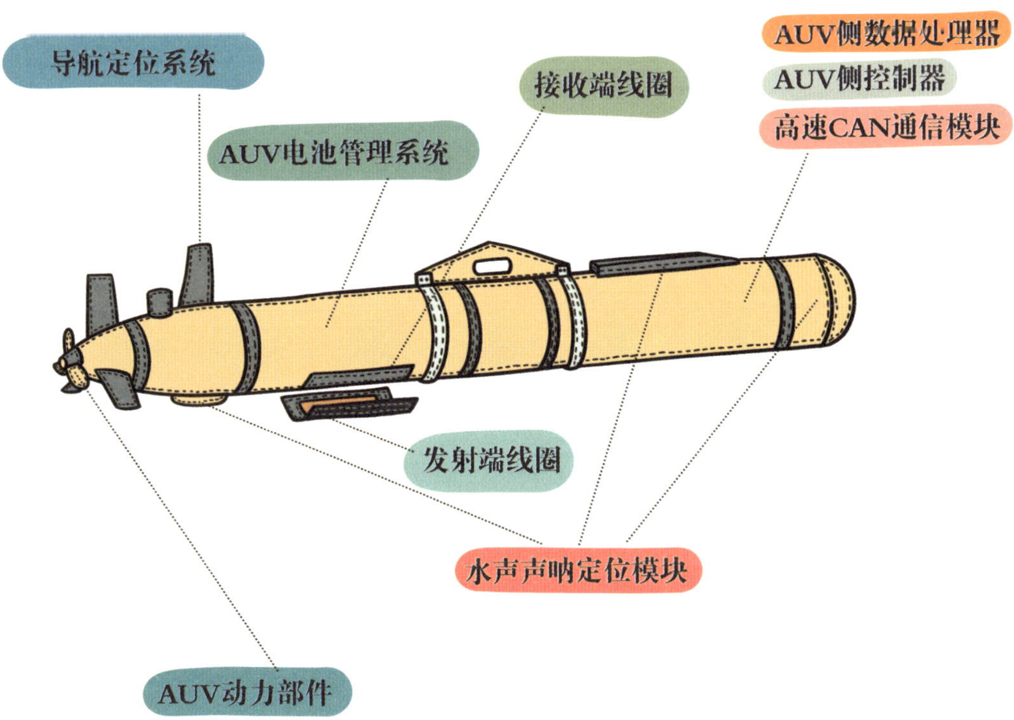

AUV 可以在水下持续运行多个小时完成相应的检查、探测、维修等任务都离不开能源系统。导航定位系统的作用是给 AUV 提供一个位置，包括它自己的位置与目的地的位置，这样更加便于控制系统给它下达相应的指令，确保它不会在水里迷路，更加快速地完成任务。此外，AUV 还有着许多的传感器，这是它的眼睛和耳朵，可以获取水下的各种信息，既可以为控制系统提供信息，便于控制系统发号施令，也可以将相关的信息数据收集起来，为人类对海洋的认知和探测提供一定的基础。这就是 AUV 的各个部位，我们可以把 AUV 看成一个人，那么这些部位也就是它的器官，这些器官相互协作，AUV 才是一个整体，才能顺利地完成相应的操作

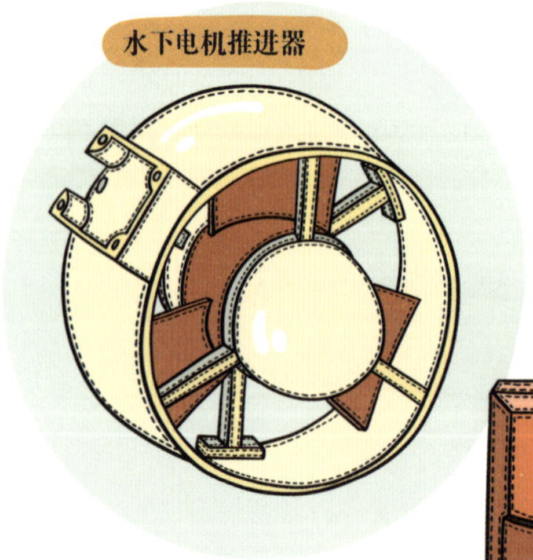

和任务。

作为自动无人潜水器，AUV 也需要很高的强度来抵抗水中巨大的压力，所以它的形状一般整体上呈现圆柱形或者椭球形，这种形状还可以最大限度地减少水流对它的阻力，以此来提高它在水中的运动速度。此外，它也同载人深潜器一样，需要由一些高强度和耐腐蚀的材料制造而成，比如钛合金、铝合金、不锈钢以及一些特殊材料等，以此来保证它在深海极端环境中的稳定性和安全性。

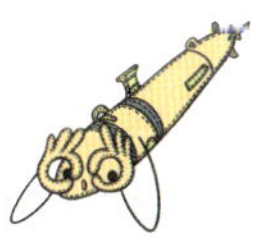

水下推进器

水下推进器是一种用于推动潜水器、潜艇、水下机器人等水下设备前进的装置。它可通过调整推力大小和方向，使水下设备在水下运动过程中稳定前进或进行转向操作。水下推进器包括电动推进器和液压推进器。

固体浮力材料

固体浮力材料的研制及生产，涉及众多学科：高分子物理、高分子化学、功能高分子、高分子成型工艺学、高分子材料结构与性能、高分子材料学、材料力学、结构力学、机械加工工艺学、表面处理工艺学、性能检测技术等。国内海洋化工研究院（简称“海化院”）最早研究并掌握深海用可加工固体浮力材料技术，自海化院 2005 年研制成功可加工深海固体浮力材料以来，获得多项国家 863 计划支持，取得国家发明专利近十项，已形成系列化深海固体浮力材料产品（水深 800 ~ 11000 米），产品性能不断改进，使国内生产的固体浮力材料已能在全海深得到应用。

总之，AUV 可以自主在海底下进行运动和工作，既帮助人类了解海洋信息，解决工程和军事问题，又在一定程度上保证了人类的安全性，同时也可以帮助解决环保问题，是一种非常实用的深潜器。那么，它还有其他的用处吗？它还可以怎样优化呢？同样地，这些问题也需要在我们的奇思妙想下进行解答，让我们一起发挥自己的想象力，画出一台属于自己的 AUV 吧。

请思考：

1. AUV 和载人潜水有什么差别？
2. AUV 靠什么供电？
3. 北斗卫星用在 AUV 上，起什么作用？

无人潜水器刷新了
哪些世界纪录？

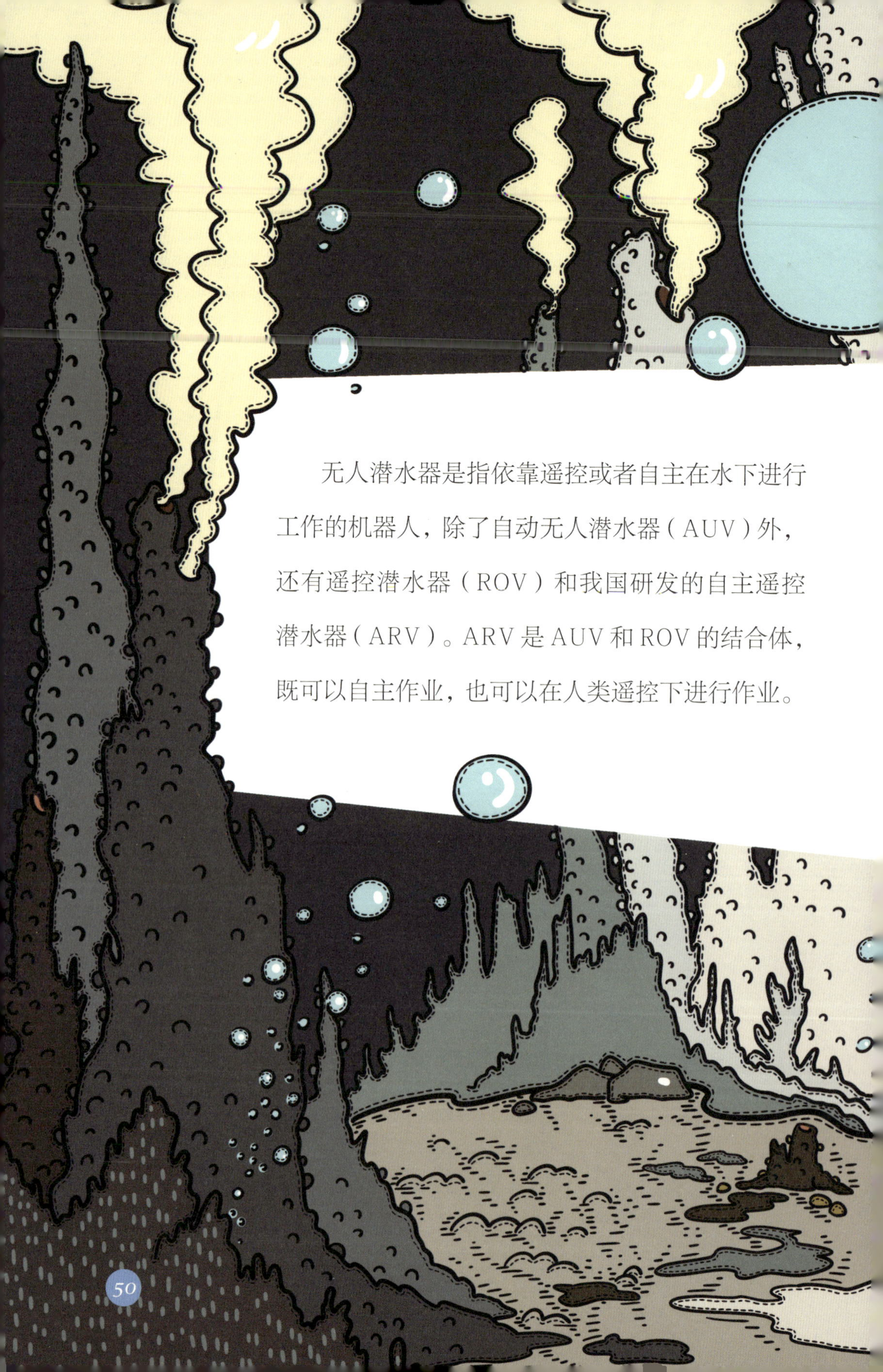

无人潜水器是指依靠遥控或者自主在水下进行工作的机器人，除了自动无人潜水器（AUV）外，还有遥控潜水器（ROV）和我国研发的自主遥控潜水器（ARV）。ARV是AUV和ROV的结合体，既可以自主作业，也可以在人类遥控下进行作业。

我国比较有名的无人潜水器有自动无人潜水器“潜龙三号”、全海深自动无人潜水器“悟空”号、全海深自主遥控潜水器（ARV）“海斗一号”，它们都是我们国家比较先进的无人潜水器。其中，“潜龙三号”于 2018 年 4 月首次问世，并于南海进行第一次试验，下潜深度 3900 米，可以在水下进行海底照相、磁力探测等作业。它可以自动给海底的样貌照相，并将保存的图片数据传回用于科学家进行分析；同时，它可以收集海底的地磁等数据，有助于地质学家进行研究。简单来说，“潜龙三号”就是一辆水下的无人驾驶汽车，可以自主进行实时监测、故障处理和智能决策。具体来说，它可以在水下用传感器实时监测周围的环境，将数据收集并传回

到控制系统，然后控制系统给出下一步指令，它再进行移动等各种操作；它还可以对设备自身的数据进行监测，当数据异常时，便会自主对发生故障处进行维修。它主要适用于海底大范围的自主探测，如海底环境下多金属硫化物等资源的勘探。

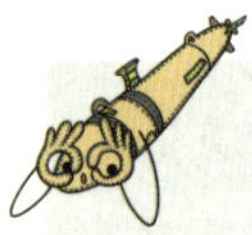

海洋磁力测量

海洋磁力测量是海洋地球物理调查方法之一，是以海底下岩层具有不同的磁性并产生大小不同的磁场为原理，在海上进行地球磁场测定。早期时，勘测曾使用饱和式磁力仪，现多使用核子旋进磁力仪、光泵磁力仪或海上梯度仪等连续测量地磁场总向量的绝对值及用三分量磁力仪测量地磁场的三个分量。

海底多金属硫化物

多金属硫化物（也称海底块状硫化物）富含铜、铁、锌、银和金。矿床一般位于大洋中脊、弧后脊和活火山弧的构造板块边界处，通常位于水深2000米的大洋中脊。矿床经数千年的热液活动而形成，即地壳下温度高达400℃的热泉排放热液并沉淀出金属。这一活动会形成黑色的海底烟柱，因此，海底热泉常常被称作“黑烟柱”。活跃的海底热泉中有一个独特的生态系统。以硫化氢为能量来源的化学合成细菌是热泉中食物网的最下层，食物网中还包括各种巨型管虫、甲壳动物、软体动物和其他物种。许多物种是海底热泉独有的，因此，海底热泉生境具有内在的科学价值。

“悟空”号是由哈尔滨工程大学团队研制出来的深海无人潜水器，于 2019 年问世，并在 2020 年到马里亚纳海沟进行试验，完成了它自己的首次万米海下试验和一些试验性应用任务。“悟空”号 AUV 于 2021 年在马里亚纳海沟创下了 7709 米的亚洲深潜纪录，并且在同年完成了 4 次超过 10000 米深度的下潜，分别是 10009 米、10888 米、10872 米和 10896 米，超过了国外自动无人潜水器在 2020 年创造的 10028 米纪录。“悟空”号的出现，不仅仅打破了世界自动无人潜水器的下潜纪录，也意味着中国在深海科学方面的研究和海洋资源方面的开发取得了重要的进展，我国在自动无人潜水器方面已经达到世界领先水平，标志着离我国深海战略三部曲的成功更进一步。

“海斗一号”是由中国科学院沈阳自动化研究所研制的全海深自主遥控潜水器（ARV），它是自主潜水器（ARV）与遥控潜水器（ROV）的结合体，具有两种模式，既可以在人类的遥控下进行作业，也可以在无人的情况下自主完成水下作业。它在AUV模式下，一般是在水下进行大范围的探测勘探，在ROV模式下，一般是用于局部区域的检查和水下维修等比较精密的作业。

“海斗一号”是混合式结构，除潜水器本身外，还包括机械手、传感器、导航定位系统等。首先是潜水器本体，它是“海斗一号”的躯干，就像人的身体一样，没有它，其他设备也就无法连接和使用。潜水器的本体呈现流线型，可以减小海水阻力，提高潜水器在海中的移动速度，从而提高它的工作效率。机

海斗一号

械手，就跟人类的手一样，具有很灵活的关节和强大的抓取能力，可以很轻松地对海底的沉积物等样品进行抓取，对一些海底标志物进行投放和回收，并对船体周围的水体样本进行收集。定位导航系统和传感器，就像人类的眼睛和耳朵一样，对周围信息进行采集，同时对自己进行定位，保证自己在深海之中无光的黑暗环境中不会迷路。它们还可以对海底的环境进行精确的测量和定位，并对海洋之中水温、水深等一些基本信息进行监测，为科学家对海洋的科学研究提供稳定可靠的数据支持。此外，“海斗一号”还配备了高清的摄像系统，可以获取深海中不同作业地点的海底地质环境、海底生物运动等环境变化的视频资料。

惯性导航传感器

惯性导航传感器是一种利用惯性传感器（包括加速度计和陀螺仪）来测量物体的加速度和角速度，从而推算出物体的位置、速度和姿态的导航系统。惯性导航不依赖于任何外部信号源，因此可以在没有卫星信号的环境下独立运作。

惯性导航传感器的核心组成部分是惯性传感器，它不仅可以测量物体的加速度，还可以测量角速度。加速度计用于测量物体的加速度，而陀螺仪则用于测量物体的角速度。通过对加速度和角速度的积分运算，可以获得物体的速度和位置信息。由于惯性传感器的测量误差和积分误差会随着时间的推移而累积，因此通常需要与其他导航系统（如卫星导航系统）进行融合，以提高导航的精度和稳定性。

4500m

“海斗一号”ARV 项目于 2016 年启动，在 2019 年完成组装，并在实验室完成了各种试验，又在南海完成了 4500 米的海试。在后续试验中，“海斗一号”在马里亚纳海沟完成了首次万米海试与试验性任务，此次下潜深度达到 10907 米，刷新了中国无人潜水器的最大下潜深度纪录，同时这也是世界无人潜水器的最大下潜深度。“海斗一号”不仅下潜深度刷新了纪录，它还在万米深的海洋中持续作业了 10 多个小时，这也是一项前无古人的伟大成就。“海斗一号”的出现，填补了中国万米作业型无人潜水器的空白，也是我国无人潜海时代一个新的开端。

“海斗一号”的问世，标志着我国成功开发出了属于自己的全海深无人自主遥控潜水器（ARV），意味着我国已经具有下潜到世界任何深度、任何环境海洋的科技水平，我国的无人潜水技术已经位于世界前列，可以更进一步地对地球上未知深海领域进行探测，并对深海这个暂时没有被人类所踏足的资源宝库进行开发，为深海战略三部曲的顺利完成打下了坚实的基础。

“海斗一号”等无人潜水器的问世，推动了我国对海洋科学的研究进展，促进了我国对海洋资源的探测与开发。虽然我国无人潜水器的起步较晚，但是后来居上，无人潜水器技术已经处于世界前列，标志着我国拥有世界先进的航海水平，为推动国家乃至世界的深海探测与开发技术做出了巨大的贡献。

那么，未来的无人潜水器会是什么样的呢？它会变得更大还是更小呢？未来它可以下潜到多深呢？未来的无人潜水器可以在深海中做些啥呢？让我们张开想象的翅膀，发挥出自己无穷的想象力，绘制出一幅属于自己的无人潜水器的宏伟蓝图吧！

请思考：

1. 本章中的几款 AUV 有什么差异？
2. 你想用 AUV 探测什么，观测什么？

海上绿色工厂
是什么样子的?

在一些地方，我们还可以看到工厂中一排排的烟囱里面冒出黑烟，对我们的环境造成了很大的危害，并且，将工厂建在陆地上，会对我们的森林和居住环境产生一定的影响。那我们能不能造一座“海上绿色工厂”呢？它使用清洁能源，不会排出黑烟，不会产生太多垃圾，建在海上，不占陆地面积。其实这样的工厂已经出现了。

为什么要建立海上绿色工厂呢？

随着社会的发展，人类的生活条件逐渐变好，但是地球上的污染情况也随之变得严重，尤其是人类生产了许多的垃圾，排放了许多有害气体，对地球的生态环境造成了非常严重的影响。为了保护我们的地球，人们对环境保护越来越重视，开始探索各种解决方法，而海上绿色工厂就是其中的一种方法。

建立海上绿色工厂不仅是因为环境保护问题，而且也与我们目前的能源危机有一定关系。现在全球人口变多，人类对于能源的需求也逐渐增加，而陆地上的传统能源是有限的，早晚会有被开发完的一天。相反，海洋中蕴含着丰富的能源资源并且尚未被广泛开发。

通过海上绿色工厂，我们可以在不破坏环境的前提下对海洋中的能源资源进行开发和利用，从而满足人类生产生活所需要的能源需求。

到底什么是海上绿色工厂？

要想知道什么是海上绿色工厂，那我们就要先知道什么是绿色工厂。绿色工厂与传统的工厂不一样，它是绿色制造的一个生产单元，主要侧重于实现生产过程的绿色化，具体需要做到用地集约化、生产洁净化、废物资源化、能源低碳化。简单来说，绿色工厂就是一个采用先进的技术和设备来减少环境污染的工厂，可以有效地保护环境，节约资源。绿色工厂使用的能源也不是传统的煤炭等对环境造成污染的能源，更多的是太阳能、风能等可再生能源。

海上绿色工厂，就是把绿色工厂搬到了海上，是绿色工厂的一种特殊形式，就像一座漂浮在海上的岛屿。与陆地上的绿色工厂的区别就在于它们的位置不同，所使用的能源也有所不同。相对于陆地上的绿色工厂，海上绿色工厂主要是利用海洋资源进行生产活动。海上绿色工厂的主要目的和任务是从海里提取石油、天然气等能源，收集和处理海洋垃圾，保护海洋生态系统。

海洋生态系统

海洋生态系统是海洋中由生物群落及其环境相互作用所构成的自然系统。广义而言，全球海洋是一个大生态系，其中包含许多不同等级的次级生态系。每个次级生态系占据一定的空间，由相互作用的生物和非生物，通过能量流和物质流形成具有一定结构和功能的统一体。海洋生态系的分类，目前无定论，按海区划分，一般分为沿岸生态系、大洋生态系、上升流生态系等；按生物群落划分，一般分为红树林生态系、珊瑚礁生态系、藻类生态系等。

海上绿色工厂有啥特别的地方？又有何意义？

与传统的工厂和海上石油平台相比，海上绿色工厂具有很大的优势。第一就是环保。与传统的工厂相比，海上绿色工厂采用了更加环保的技术与设备，确保在开采加工过程中产生的废弃物和污染物可以被有效控制和处理，减少对海洋环境的污染。第二，具有高效性。它采用先进的开采加工技术，使能源的开采和加工效率更高，既降低了生产的成本，也确保了能源的产量和品质。第三，更加安全。海上绿色工厂在设计时充分考虑了工人与生产的安全，同时采用先进的安全技术和设备，确保工人在工作生产时的安全性。第四，它是可持续的。它的设计与建造都充分考虑到了未来的可持续发展，同时采用可再生能源和节能技术。

建立海上绿色工厂，具有非凡的意义。首先，可以满足人类的部分能源需求。通过海上绿色工厂，人们可以在不破坏海洋环境的前提下，开发和利用海洋能源资源，这有助于保障全球的能源安全和经济的可持续发展。其次，我们可以通过海上绿色工厂保护海洋环境。海上绿色工厂注重环境保护，采用各种环保技术和设备，确保在开采和加工过程中对海洋环境的影响最小化，也有助于保护海洋生态系统的健康和稳定。再次，海上绿色工厂还可以推动技术创新。海上绿色工厂的发展需要依靠先进的技术和设备。这会促使人们不断进行技术创新和研发，推动全球能源技术

的进步和发展。海上绿色工厂更促进经济的发展。海上绿色工厂的建设和运营需要大量的资金和技术支持，同时也创造了大量的就业机会，这有助于促进当地的经济发展并增加税收。海上绿色工厂还有利于维护国家安全与促进国家合作。因为通过发展海上绿色工厂，国家可以减少对外部能源的依赖，提高自身的能源安全保障能力，这有助于维护国家的经济和政治稳定。海上绿色工厂的建设和运营需要国家间的合作和支持，这有助于加强国家间的经济和技术交流，推动全球能源结构的转型和发展。

石油平台

石油平台，或称石油钻井平台，是一种位于海上的大型结构设施，用于钻井提取石油和天然气，并暂时储存，直到石油被运送到陆地上的炼油厂去裂解原油成为产品。在许多情况下，该平台包含开采设施以及容纳工作人员的居住区。根据不同的情况，该平台可以被固定到海底，可以是人工岛，也可以漂浮于海上。多个海底油井也可以连接到一个石油平台（由管线连接）。

深海石油钻井平台常见类型

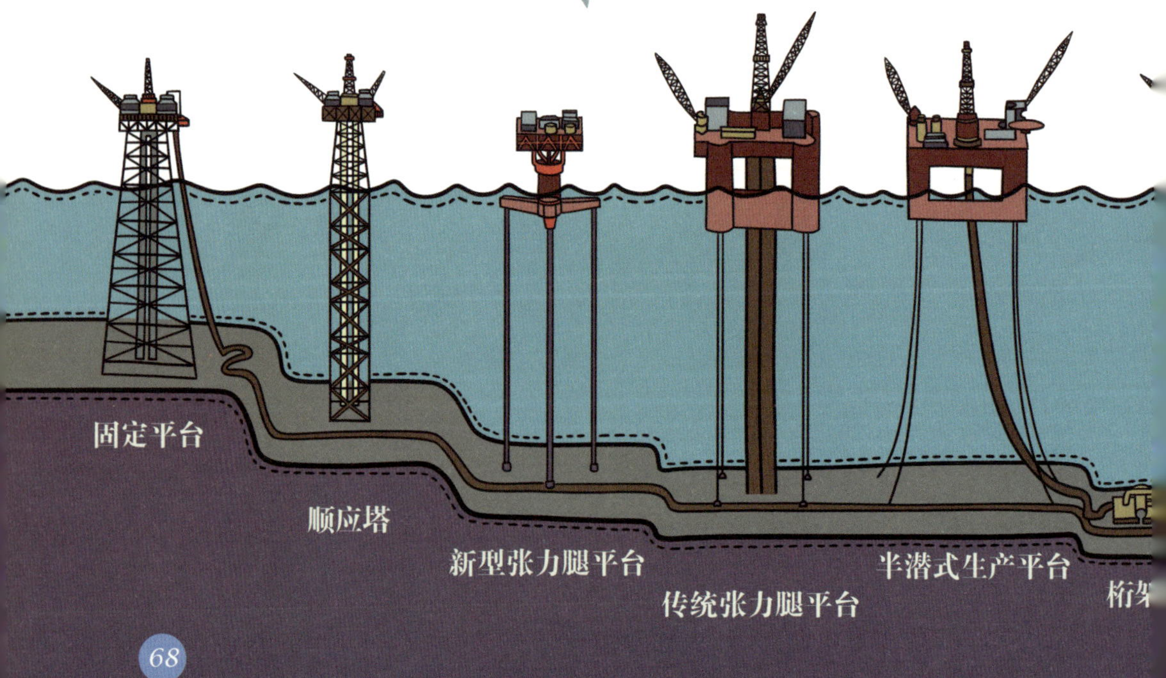

未来的海上绿色工厂会变成啥样？又如何发展？

海上绿色工厂可以环保、高效地开发能源，具有广阔的发展前景和巨大的市场潜力，会随着全球环保意识的提高和可持续发展的趋势而成为引领潮流的一种现代化工厂。那么，建立海上绿色工厂需要具有什么条件呢？首先，需要拥有先进的技术。这是必需的，没有先进的技术，很难提高它的生产效率，也就很难降低能耗和资源消耗。在拥有先进技术的同时，还应该具备技术创新和研发的能力，以此来优化和改进生产工艺与技术。然后，海上绿色工厂还要拥有资源保障性，包括原材料、水、能源等。工厂还应该有限使用可再生的绿色能源，减小对环境造成的负担。其次，

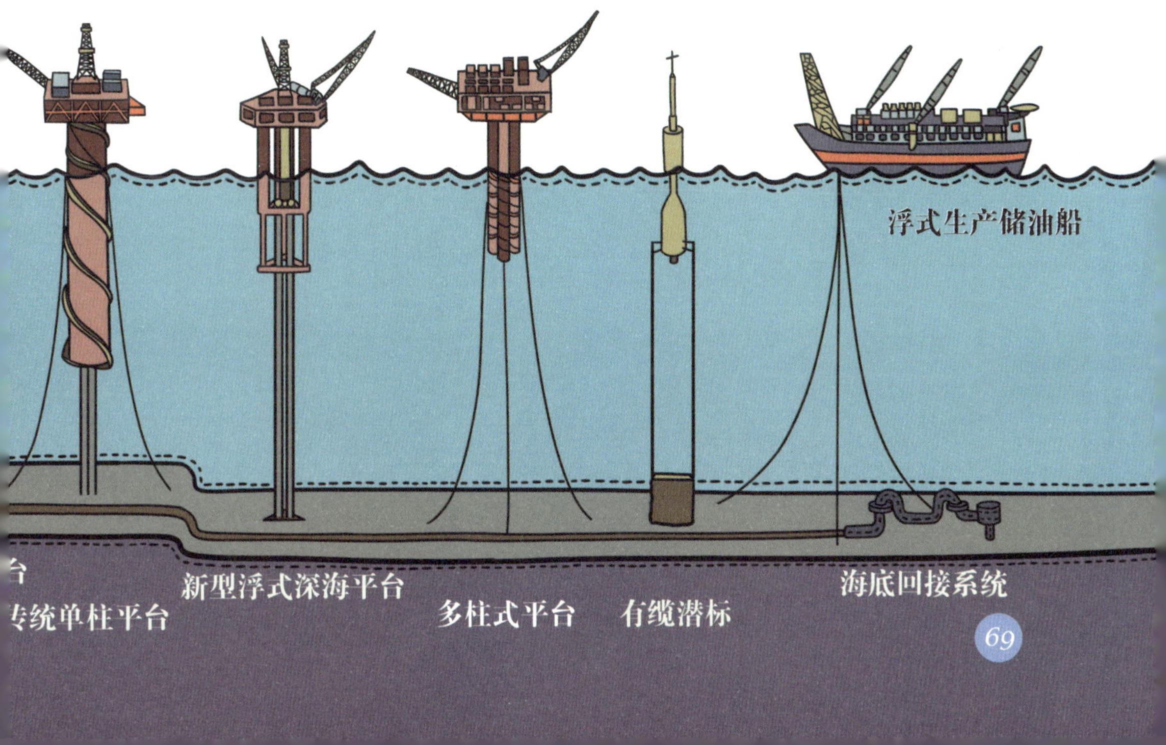

建立海上绿色工厂，还应该考虑它的经济可行性。最后，海上绿色工厂还应该需要有足够的人才支撑。海上绿色工厂的建立需要具备高素质的专业人才，包括环保技术、生产管理、市场营销等方面的人才。工厂应注重人才培养和引进，建立完善的人才管理体系。

目前，中国已经有属于自己的海上绿色工厂了。例如南通中远海运川崎船舶工程有限公司，从创立之初便从战略高度致力于绿色工厂建设，连续多次获得政府表彰。公司采用技术优势引领行业转型升级、绿色产品助力碳平衡、绿色技术和工艺贯穿产品设计与制造全过程的管理模式，成为中国民族船舶工业的“领跑者”。

海上绿色工厂是一种可以高效环保开发资源的新型工厂，具有广阔的发展前景和巨大的市场潜力。通过发展海上绿色工厂，我们可以更好地开发和利用海洋能源资源，满足人类的能源需求，同时保护海洋环境，推动技术创新和经济发展。这不仅是可持续发展的必然选择，也是我们为子孙后代留下的宝贵财富。因此，应该积极推广和发展海上绿色工厂，为构建美好的地球家园贡献我们的力量。

海上绿色工厂没有具体的样式，它可以是任何样子，那么你们心中的海上绿色工厂是什么样的呢？让我们一起发挥自己的想象力，想象出一个属于自己的海上绿色工厂吧！

请思考：

1. 海洋绿色工厂怎么平衡环保和发展?
2. 海岛和船型绿色工厂有什么差别?
3. 您想让海上绿色工厂提供什么产品?

深海真的有宝藏吗？
Cu
Ni
Zn
Fe
Co
S

深海，是一个广阔而神秘的未知领域，蕴藏着无穷无尽的宝藏，尽管人类已经可以到达深海并对深海进行探索，但是深海中还有很多区域是人类尚未踏足的，这些海域的宝藏也还没有被人类发现。那么未知的深海之中都有什么宝藏呢？

深海中的宝藏当然不是指一般的金银珠宝，而是指隐藏在深海之中各个角落的各种资源，这些资源包括水资源、金属和矿物资源、石油和天然气资源、热液喷口和热液沉积物资源、生物资源以及一些其他方面的资源。

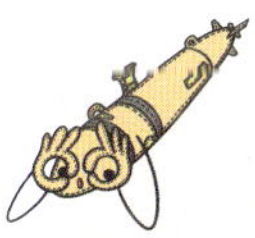

海洋热液喷口

海洋热液喷口是海底热液沿裂隙集中流动和喷发的现象，形成了一种特殊的烟囱状结构，称为海底热液烟囱。这些烟囱可以是黑色的（称为黑烟囱）或白色的（称为白烟囱），取决于其成分和温度。

海洋热液喷口的形成过程涉及海水通过洋中脊的裂缝渗透，受到岩浆加热后再向上流动并喷发。这些喷出的溶液由水和化学物质组成，温度从100℃到350℃不等。黑烟囱通常位于深海区，温度较高，而白烟囱则温度较低。

海洋热液喷口不仅是一种地质现象，还支持着独特的生态系统。这些喷口周围生活着依赖化能自养的微生物和动物，形成一个不依赖光合作用的生态系统。例如，巨型管蠕虫依赖共生细菌分解热液中的化学物质获取能量。

水资源——深海宝藏的源头

首先介绍一下深海之中的水资源。大家都知道，我们整个地球表面的 71% 都被海洋所覆盖，而深海面积占海洋总面积的 80% 还多。而现在的地球，存在一个巨大的问题，那就是地球淡水资源稀缺，世界上有一半多的人面临着缺水的问题。这不仅是因为地表之上的淡水资源很少，也因为现在地球上的污染情况严重，造成了人类可用淡水量的减少。海水虽然占据了地球总水量的 90% 还多，但是由于海水是咸的，不能直接饮用。如果我们将世界上的海水资源通过科技加以改造，就可以得到可以饮用的淡水，以

海水淡化技术

海水由于含盐量非常高，不能被直接使用，主要采用两种方法淡化海水，即蒸馏法和反渗透膜法。蒸馏法主要被用于特大型海水淡化处理及用在热能丰富的地方。反渗透膜法适用面非常广，且脱盐率很高，因此被广泛使用。反渗透膜法首先是将海水提取上来，进行初步处理，降低海水浊度，防止细菌、藻类等微生物的生长，然后用特种高压泵增压，使海水进入反渗透膜，由于海水含盐量高，因此海水反渗透膜必须具有高脱盐率、耐腐蚀、耐高压、抗污染等特点，经过反渗透膜处理后的海水，其含盐量大大降低，TDS（总溶解固体）含量从 36000 毫克 / 升降至 200 毫克 / 升左右。淡化后的水质甚至优于自来水，这样就可供工业、商业、居民及船舶、舰艇使用。

此来缓解淡水不足的危机。此外，还可以研究出可以用海水进行灌溉的水稻等谷物，不仅可以解决水资源短缺问题，更可以解决人类的粮食安全问题。即使是不经过加工的海水，我们也可以将它用作工业用水或者其他用水，这样也可以很好地节约淡水资源。

有限的水资源

水，是生命之源，从参天大树到微小细菌，都离不开水的滋养。它不仅是地球上所有生命形式的基石，更是人类生存和发展的根基。但随着世界经济、科技、社会等的快速发展，水资源浪费与污染情况不断加剧，全球已有数十亿人无法获得安全用水，“生命之源”空前紧缺。

“有限的水资源”展品（位于中国科技馆主展厅四层“挑战与未来”D厅）通过数百颗小水球的动态流向，展示了地球总水量中可利用水资源与不可利用水资源之间的巨大差异，从而引发人们思考，提高节水意识。地球远远看上去是一颗蓝色星球，拥有着丰富的水资源。但这其中海水占比高达 97.5%，在仅剩的 2.5% 的淡水资源中，又有很大一部分被冰川和雪山固化，真正能够被人类利用的淡水资源仅占地球总水量的 0.25% 左右。加之气候变化、生产生活用水污染以及过度开采等问题，使得可用水资源更加紧张。目前，全球最缺水的国家位于中东、非洲撒哈拉和中亚的沙漠荒原。《2024 年联合国世界水资源开发报告》，目前全球仍有 22 亿人无法享用安全管理的饮用水服务。2002 年至 2021 年期间，全球超过 14 亿人受到干旱影响。干旱和缺水已经成为常态，严重影响了人们的生产和生活。

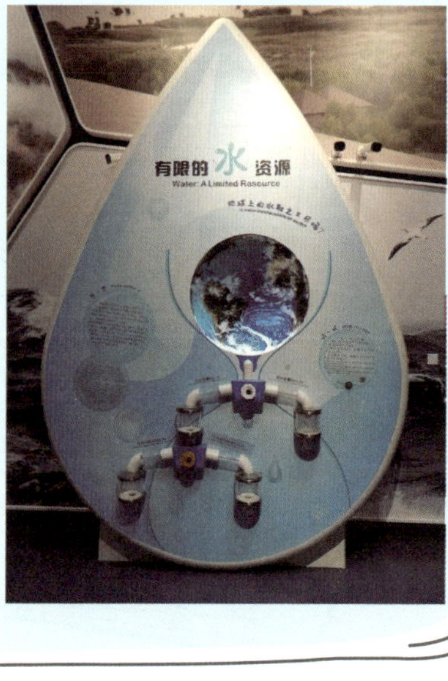

为保护有限的淡水资源，中国科技工作者经过不断努力和深入研究，提出了水资源优化配置、高效利用、循环使用和水体污染防治等一系列行之有效的综合治理措施，使得中国水资源保护和修复初见成效。我们每个人也应该从生活中的点滴做起，节约用水，减少污染，为地球的可持续发展贡献一份力量。

生物资源——深海中的精灵

深海中除了有大量的水外，还有丰富的生物资源。深海是地球最大的生物栖息地之一，生活着许许多多的生物，可能还包括人类还没有发现的生物物种，由于深海环境比较恶劣，这些生物都具有独特的生存和适应能力。深海之中有着许多神奇的鱼类，为了适应深海中黑暗、高压、无光、低温的恶劣环境，这些鱼类都具有独特的形态和生理上的特点。比如巨口鱼，它可以通过嘴部周围特别的器官发出光亮，吸引猎物靠近，然后一口将这些猎物吞进肚子里；还有斧头鱼，它身体纤细、侧扁且肚子巨大，总体呈流线型，它的眼睛可以在黑暗的深海中清晰地看到猎物，这

些特点可以帮助它在深海恶劣的环境中生存。深海之中还存在大量特别的动物——珊瑚虫，这种虫子会分泌特殊的物质，聚集在一起便形成了美丽的珊瑚礁，为海洋之中的许多小型生物提供了栖息地和食物来源，也吸引了大量人类对珊瑚礁进行开采，是人类文化和经济活动的重要资源，被广泛用于旅游业、海洋科学研究方面。

海洋珊瑚养殖

海洋珊瑚养殖是指通过人工手段培育和保护珊瑚，以促进海洋生态系统的健康和可持续发展。珊瑚在海洋生态环境和人类经济社会中发挥了重要作用。2014 年，自然资源部在福建厦门成立了珊瑚保育馆，建有近 20 套养殖系统。

此外，深海之中还有许多独特、神秘的贝类生物，它们可以适应深海之中的环境，是海洋生态系统的重要组成部分。比较典型的有鹦鹉螺、龙骨扇贝等。鹦鹉螺是一种非常古老的海洋生物，是海洋中的“活化石”，它的贝壳可以用来制作出精美的工艺品；龙骨扇贝是一种适应了深海环境的贝类生物，它的贝壳一般呈圆形或者卵圆形，颜色通常为黄褐色或浅黄色，长度最大可以达到 20 厘米，它的肉质细嫩，营养丰富，可以用作食物。除了这些，深海之中还存在大量的微生物，是海洋生态系统的重要组成部分，一些微生物通过独特的生理机制和代谢途径可以生成一些特殊的物质，具有很重要的科研意义。

矿物和能源资源——深海中的资源宝库

深海中还蕴藏着丰富的矿物和金属资源，比如多金属结核、富钴结壳和热液硫化物等，利用这些矿物资源可以提取出金、铜、锌等陆地上比较缺乏但是人类发展离不开的重要金属元素，在航空航天、电子等领域具有广泛的应用。其中，多金属结核是指生长在海底的结核状沉积物，富含铜、镍等金属元素；富钴结壳则是生长在海底岩石表面的富含钴元素的矿壳；热液硫化物则是在海底一些特殊位置形成的硫化物沉积物，富含硫、铁、锌等元素。

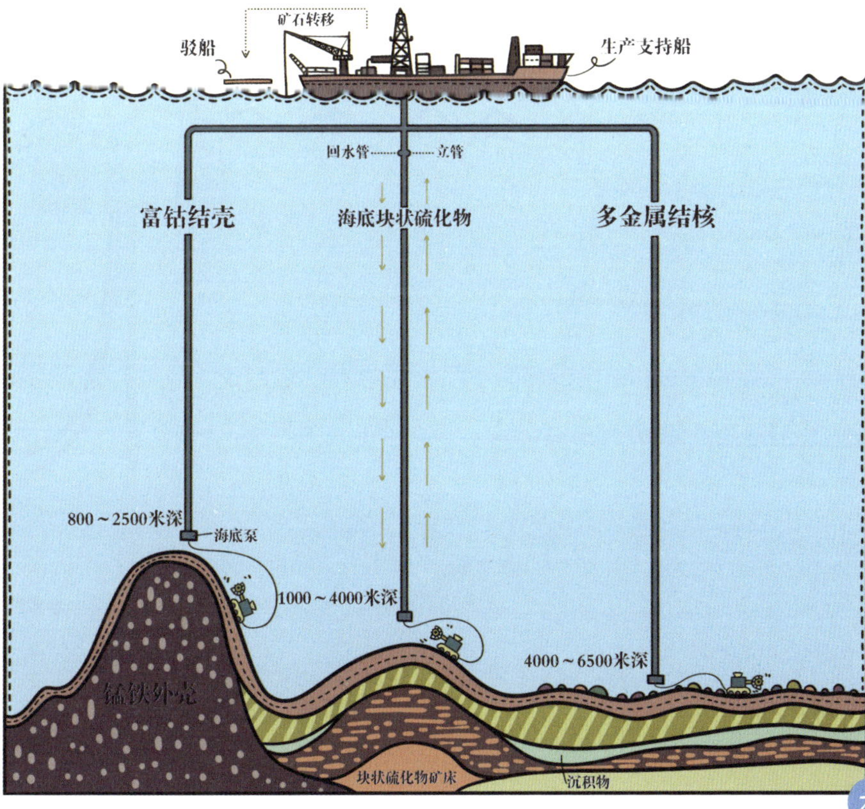

我们的地球现在正面临着能源危机，这是因为陆地上的石油、煤炭等资源已经快被开采完了。但深海中也蕴含着丰富的能源资源，只是还没有被开发。如果我们可以将深海中的能源开采出来并加以利用，那能源危机也就迎刃而解了。那么，深海中都有什么能源资源呢？首先，深海中蕴含着丰富的石油和天然气资源。石油是工业的血液，它的重要性可见一斑。而天然气作为一种无污染的新能源，正在被广泛使用。但它们都属于不可再生能源，陆地中的石油和天然气总有被用光的一天。而深海中蕴含着的石

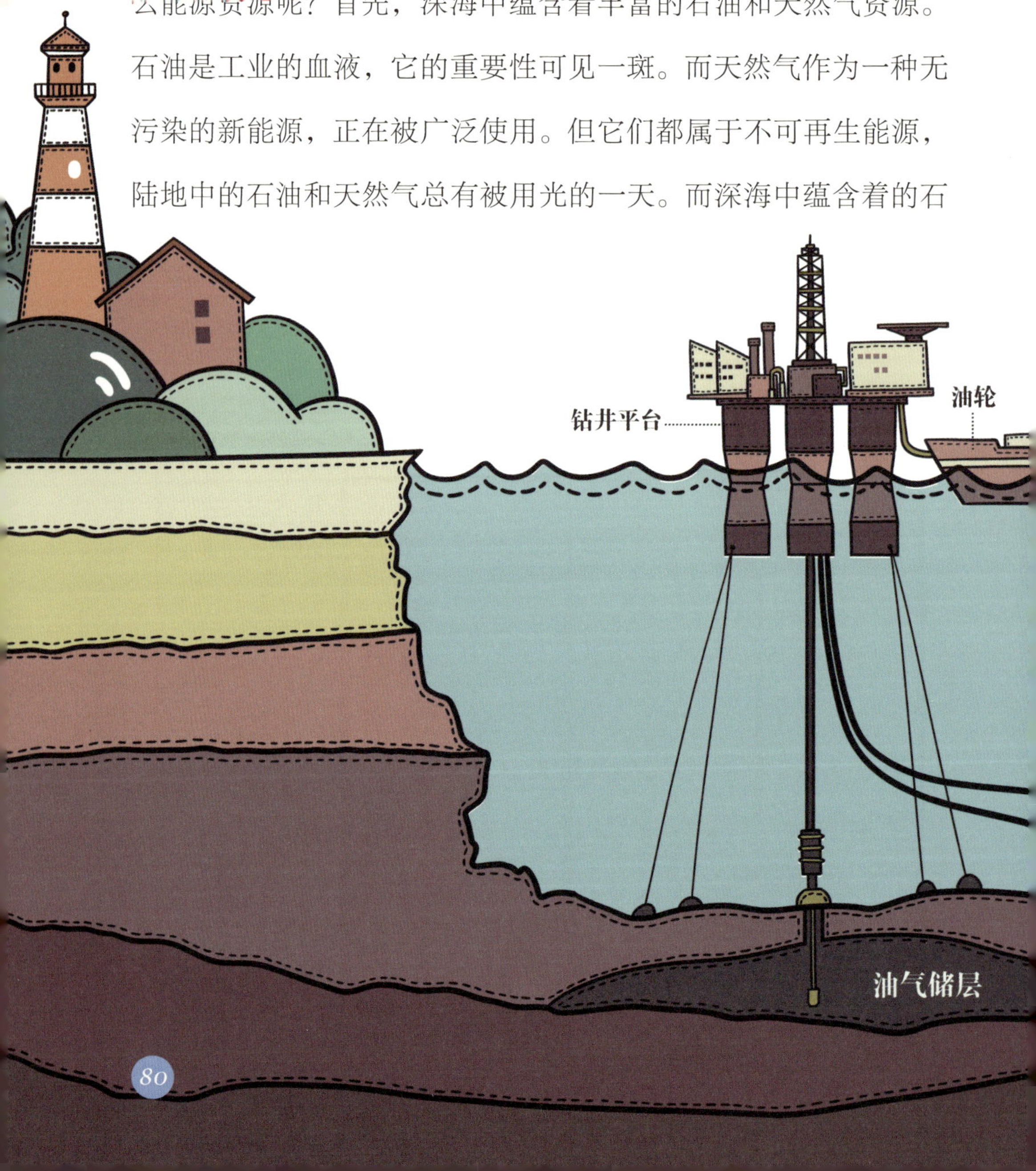

油资源约占世界可开采总量的一半以上；深海中的天然气资源大概也有世界天然气总量的一半。随着科技发展，深海中石油和天然气资源的开采已经成为世界能源供应的重要来源。深海之中还蕴含着丰富的可燃冰资源，这是一种新型固体能源，是未来能源发展的重要方向之一，它的储量是世界石油天然气总量的两倍还多。但是可燃冰的形成条件比较特殊，开采难度很大，可燃冰开采技术还需要进一步研究和发展。

潜入万米深渊

在浩瀚的海洋深处，“奋斗者”号载人潜水器宛如科幻片中的机械勇士，悬停在10909米的深海极境，海洋每一寸未知的神秘疆域正被一束来自东方的探照灯划破亘古沉寂。这具凝结着中国智慧的深海重器，正在永恒黑暗中探寻着地球生命的密码。

“潜入万米深渊”展品通过奋斗者模型、互动操作平台和多媒体屏幕的巧妙融合，展示了潜入万米深渊这一壮举背后的科技成果，激发人们对我国乃至全人类海洋探索辉煌成就的自豪情感。中国这场跨越半个世纪的深蓝长征，始于1971年启动研制的仅能触摸300米深海的“7103”救生艇。此后数十年，我国深潜技术开启了从无到有、由浅入深的壮阔征程。2012年，“蛟龙”号凭借7062米的下潜深度终于使我国跻身国际领先梯队。2017年，“深海勇士”号虽将作业深度回调至4500米，却以高达95%的国产化率点亮我国大深度潜水器的国产化明灯，为深海探索注入强劲动力。2020年，在“蛟龙”号和“深海勇士”号基础上发展而来的“奋斗者”号，更是集两者之大成攻克将近110兆帕的极端水压，直抵万米深渊，那是相当于2000头非洲象踩在一人背上的压力。“奋斗者”号如强壮的勇士凭借坚实的舱壁，保护着中国的科学家们在深海开展科学探索和研究，并绘制出全球首个深渊海洋生态系统图，揭示了深渊奥秘。这不仅是对人类未知疆域的勇敢挺进，更是对深潜核心技术的探索与突破，以近96.5%的自主化率树立起了深海工程领域的中国标杆，完成从跟跑到领跑的技术跨越。

深渊以万米水压铸成天然屏障，挑战生命极限，却淬炼出更坚韧的深潜科技。未来，必将有更多如“奋斗者”号般的大国重器，引领人类迈向更深更远的海洋。

深海遗迹
——深海中的历史

除了自然界的宝藏外，深海中还隐藏着许多神秘的沉船和遗迹，这都是古人们探索海洋时所遗留下来的，是人类历史和文化的重要遗产，可以让人类认识到更多的文物信息和历史信息，从而更好地了解人类历史和文化的发展。此外，深海中环境比较独特，它的地质也比较特殊。通过对深海的研究，我们可以更好地了解地球的构造和演化历史，探究生命的起源和演化，这些研究有助于人类了解我们的地球，有助于我们与地球和谐相处，并让人类对生命更加尊重。

总之，深海是一个神秘富饶的领域，蕴含着丰富的宝藏。这些宝藏不仅对人类的经济和社会发展具有重要意义，对于探索地球的奥秘和维护生态平衡也具有重要作用。我们应该保护好这些宝贵的资源，让它们可以被我们和子孙后代所共享。

请思考：

1. 海鱼和淡水鱼在味道上有什么区别？

2. 海洋稀有金属都用在什么重工业上？

3. 海水最低温度是多少？

4. 海鱼在黑暗、高压、无光、低温的情况下，靠什么感知周边环境？

地球可以挖通吗？

当我们坐在地上观察大地时，相信大家都会有这样一个问题，那就是地下都有什么东西呢？如果我们在一个地方一直挖，那地球会被挖通吗？

要想解答这些问题，那先来了解一下我们生活的地球。地球，是我们生活和居住的家园，是浩瀚宇宙中的一颗小行星，位于太阳系，是目前人类已知的唯一存在生命的星球。它处于永不停息的运动之中，在围绕太阳公转的时候，也在自转。围绕太阳公转一周的时间就是一年，因为地球围绕太阳公转，才把一年分成了春夏秋冬四个季节，让我们在不同的季节可以欣赏到不同的景色；而地球自转一周，也就是一天 24 小时，正因为有了地球的自转，才把一天分为了白天和黑夜。

地球的内部是什么样？

地球，总体上呈现椭球形。那我们为什么站在地球上会感觉像站在平地上一样呢？地球表面并不是光滑的，相反，地球表面有很多地形，比如高山、平原、盆地、丘陵等。我们居住和生活都在地表，那地表之下又有些什么呢？

就让我们先来看一看地球内部的结构吧。地球结构可以分为三部分，由外到内分别是地壳、地幔和地核。首先，地壳是地球表面的固体外壳，平均厚度只有 17 千米，跟整个地球相比起来，这就是薄薄的一层，主要由岩石构成。不同位置的地壳厚度并不相同，大陆地壳比较厚，平均厚度可达到 33 千米，而高山、高原地区的地壳特别厚，可以达到 70 千米；海洋地区的地壳比较薄，平均厚度仅有 6 千米。地壳，是地球生命存在、生活的基础，是人类活动的主要场所。地壳被分成了若干个大板块，比如亚欧板块、太平洋板块等，由于地球内部的热力学和地球表面的一些因素，这些板块是相互运动的，从而导致了地震、火山喷发等自然灾难的发生和高山、深谷的形成。

地壳之下便是地幔，它是地球内部最大的部分，约占地球总体积的 4/5。地幔主要的组成物质是岩石和金属，分为上下两层。上地幔在地下 17 千米到 1000 千米的范围内，主要由橄榄岩组成，

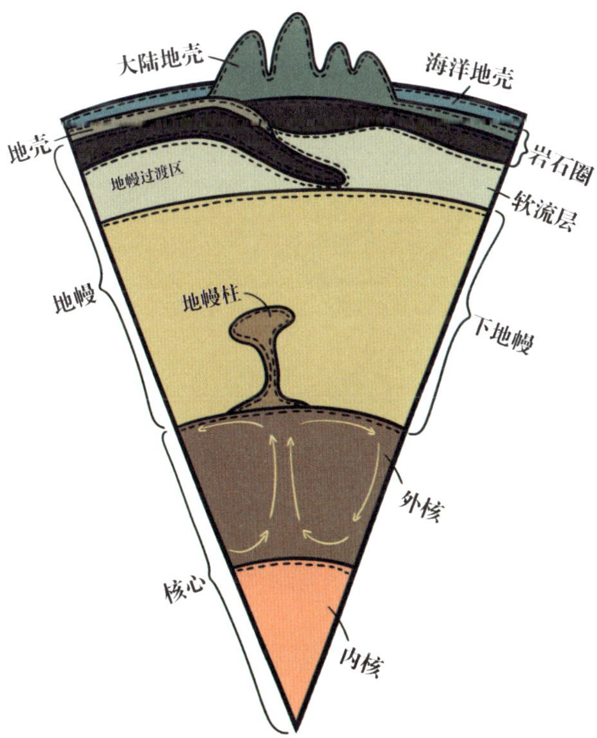

这里的温度较高，岩石会变得软软的，像热泥巴一样，所以上地幔也是地球岩浆的发源地，这一层也被称为软流层。这些软软的岩石会在地幔中缓缓流动，有时候会上升到地壳，导致火山的喷发；有时会下沉，对地球内部造成挤压，导致地震的发生。下地幔位于地下 1000 千米到地下 2900 千米之间，这一层主要由金属硫化物和氧化物组成，含有大量的铁镍元素，这一层是固态的。下地幔温度非常高，可以到达 2000℃。地幔帮助塑造了地球表面的地貌和地质特征，虽然我们不能直接观察到地幔，但是我们可以通过地壳板块之间的运动、对地震波进行监测等对地幔进行了解。

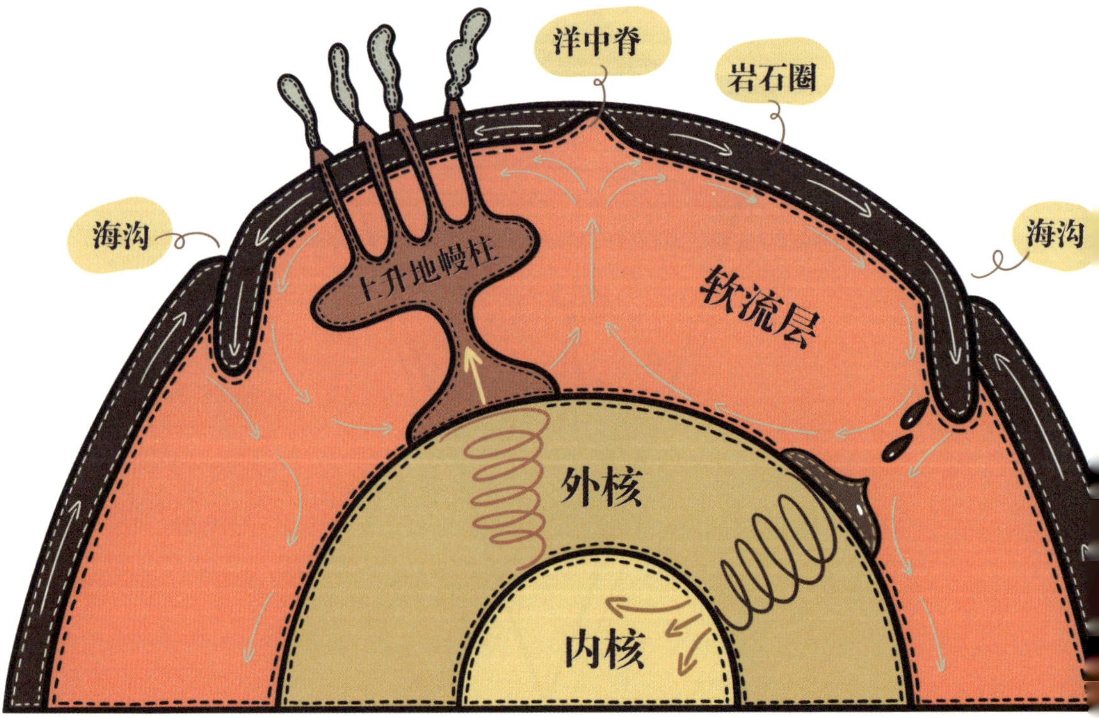

地震

地震，又称地动、地振动，是地壳快速释放能量过程中造成的振动，其间会产生地震波的一种自然现象。地球上板块与板块之间相互挤压碰撞，造成板块边沿及板块内部产生错动和破裂，是引起地震的主要原因。地震开始发生的地点称为震源，震源正上方的地面称为震中。破坏性地震的地面振动最烈处称为极震区，极震区往往也就是震中所在的地区。地震常常造成严重人员伤亡，能引起火灾、水灾、有毒气体泄漏、细菌及放射性物质扩散，还可能造成海啸、滑坡、崩塌、地裂缝等次生灾害。

橄榄岩

橄榄岩是存在于上地幔的一种岩石。通过板块运动，它可以上升到地表，这也就是为什么我们在山脉中(如阿尔卑斯山)会遇到它，但这时它通常会变质为蛇纹岩。橄榄岩也可以在火山作用下被抬升，因此我们有时可以在玄武岩和火山中发现它。

地幔

地幔介于莫霍面和古登堡面之间，厚度在 2800 千米以上，平均密度为 4.59 克 / 厘米^3，体积约占地球体积的 82.26%，地幔的质量约占地球总质量的 67.0%，在很大程度上影响了地球物质的总组成。地幔的横向变化比较均匀，根据地震波速度的变化以 1000 千米激增带为界面，进一步划分出上地幔和下地幔两个次一级圈层。

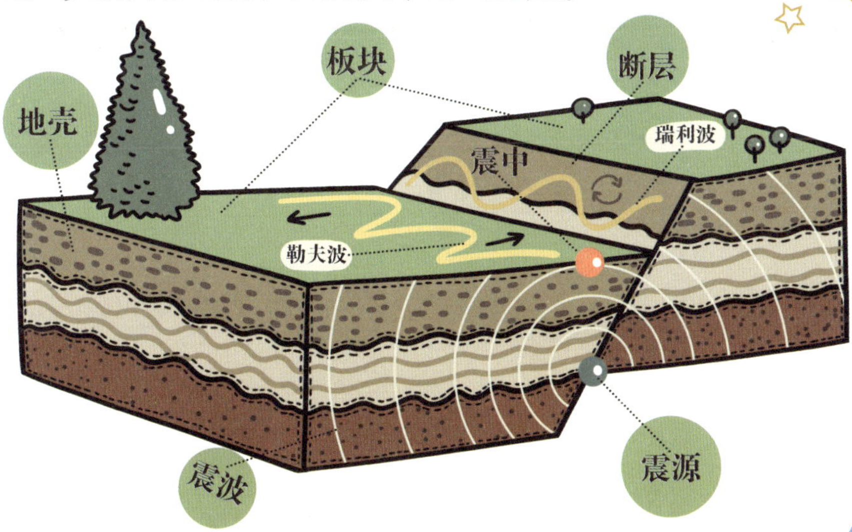

地核，是地球内部的核心部分，位于地球的最中心，主要组成元素为铁和镍，温度非常高，大概为 4000 ~ 6800℃，可以熔化已知的一切东西。地核也可以分为两部分，内核与外核。外核深度位于地下 2900 千米到 5100 千米之间。外地核是液体，并且是不断流动和旋转着的。内核位于地下 5100 千米之下，主要呈现固态。地核的转速比地壳更快，导致了地核与地壳会发生相对运动。地核对地球的磁场、地震、火山等现象都有重要的影响，它的磁场可以保护我们不受到太阳风的辐射，保证我们安全地在地球上生活。与地幔一样，虽然不能观察，但是可以通过观测地震波来理解地核的特征与性质。

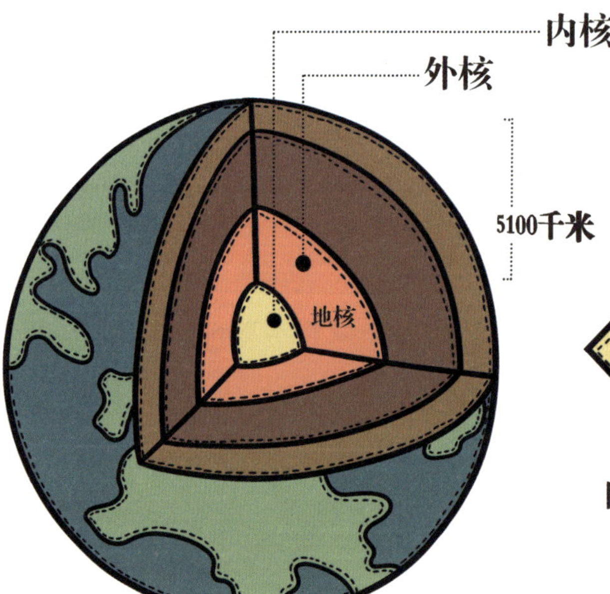

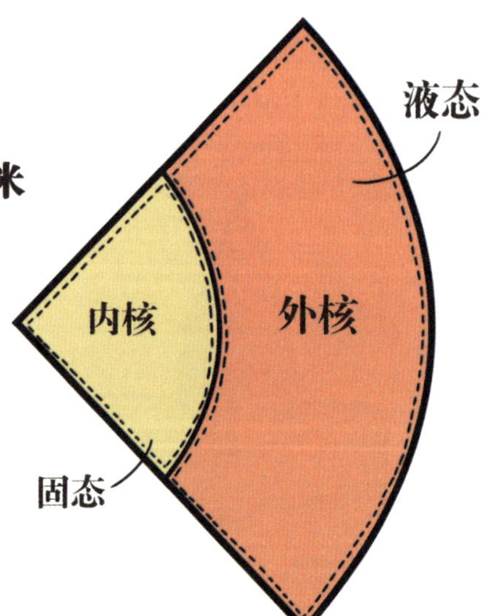

走进科技馆

蓝色星球

地球的结构如此复杂而巧妙，充满了无数值得我们探索的奥秘。放眼整个浩瀚的宇宙，地球也是一个特殊的存在，它是目前已知的唯一一个具有生命的星球，是人类生存的家园。

“蓝色星球”展品（位于中国科技馆主展厅四层“挑战与未来”D 厅）是一个直径 4.5 米的巨大球冠屏幕，通过精彩的视频呈现地球在宇宙中的位置并展示它的内部结构，同时也揭示了地球能够孕育生命的主要原因。这颗蓝色星球之所以能够孕育出如此丰富多彩的生命，是因为它具备了许多独特的条件，比如温度、大气、水、引力等。加之大气圈、水圈、生物圈和岩石圈这“四大圈层”相互作用，通过能量、物质、信息的交换，又为生命提供了必要的生存条件，使得地球能够孕育生命万象，成为宇宙中具有独特魅力的一颗蓝色星球。

尽管人类目前已经探索到一万多米的地下和海底，但是相对于地球将近 6400 千米的平均半径来说尚显得微不足道。人类脚下这片土地最深处究竟是什么样子呢？会不会像凡尔纳《地心游记》小说里写的那样，地球内部存在着一个不为人知的地下世界呢？现阶段的技术还无法实现对更深地底和海底进行探测，或许需要发明更耐高温的钻头，又或许要设计更抗压的潜水器。科学的脚步永无止境，一起努力去探索地球深处的奥秘吧！

地球挖通了吗？

知道了地球的基本结构，我们可以把它想象成一个煮熟的鸡蛋，而地壳、地幔、地核分别对应鸡蛋的蛋壳、蛋白与蛋黄。我们生活的地壳仅仅是那薄薄的蛋壳。那么，我们可以将这个“鸡蛋”挖通吗？

从理论上来看，地球是可以挖通的。我们会遇到什么困难呢？温度高，硬度会变大吗？第一，挖穿地球并不是简单地用铁锹一直往下挖，必须用到一些先进的设备，把地球挖穿的难度比人类飞上太空更难。第二，地球内部温度非常高，可以达到几千摄氏度，这样的高温足以熔化任何金属，更别说需要用这个金属制造而成

的铲子或者钻头去对地面进行挖掘了，所以我们不能采用任何现在已有的工具或者材料来在那么高的温度下进行工作。第三，就是地球内部的压力非常大，越向地球内部压力越大，这么高的压力会让岩石变得像塑料一样软，也会使工具瞬间发生变形甚至破裂。第四，地球并不是静止不动的，它的地壳、地幔和地核都在不断地移动和变化，并且地球结构复杂，有很多不同的圈层和板块，如果我们贸然向下挖掘，可能会导致板块之间发生更为剧烈的运动，从而导致更多更大的地震和火山爆发发生。第五，即使我们有了可以抵抗高温和高压的技术，挖通地球也是一个巨大的挑战。挖通地球不仅是技术上的挑战，可能还会对地球的环境产生巨大的影响。比如，如果挖通地球，那地球的重力分布就会发生改变，影响地球的磁场，从而影响气候变化。地球的质量分布也会发生改变，可能会影响地球的自转和公转，从而影响地球的节气变化，为人类带来恶劣的影响。

挖通地球，人类并不是没有尝试过。20 世纪 90 年代，苏联曾经在地球上挖过一个洞，并且挖到了地下 12262 米的深度，但是这个计划却被紧急叫停了。这个也是目前世界上人类所能到达地底最深的位置。为什么会被叫停，现在仍不知道它的具体原因。不过不管是什么原因，这个计划的失败，让人们对地球更加敬畏了。

总之，我们并不能挖通地球，但我们可以通过研究地球的结构和运动，更好地了解我们的家园。这样可以帮助我们更好地保护地球，让我们的生活更加安全和美好。

最后，留一个问题给大家：如果有一天我们可以挖穿地壳，那上地幔的岩浆会顺着我们挖的那个洞流出来吗？

请思考：

1. 地球地质构造分为哪几层？
2. 地震是怎么形成的？

在地面
挖个洞
能看到什么？

我们知道，地球的结构类似于一个不规则的鸡蛋，我们居住的地壳仅有 17 千米厚，相比于地球就是一层薄薄的蛋壳。人类现在能够挖到的最深处是地下 12000 多米，连“蛋壳”都没有挖通。那么，大家好不好奇在地面上挖一个洞，我们可以在这个洞里看到什么呢？

地表上存在大量的岩石和泥土，所以刚开始挖掘时，首先看到的就是土壤和岩石。土壤是岩石风化后形成的，里面还有水分、空气等。在土壤中，还存在大量的植物和微生物。如果再深一点，我们就可以看到地下水和一些矿物资源。把地壳挖穿之后，就可以到达地幔，在这个位置你会看到软软的岩石和丰富的稀有元素以及岩浆。如果我们还可以挖穿地幔，到达地核的外核，那我们可以看到液态的铁镍金属元素。穿过外核到达内核，我们就可以看到固态的铁镍金属元素了。

除了这些，我们还可以看到什么呢？我们还是来一层一层地往下看吧。首先是地下 2 米的范围之内，除了泥土、岩石外，我们还可以看到蚯蚓、蚂蚁、蜘蛛等小型生物和丢弃垃圾，以及城市地下的污水管道。地下 2 米，通常情况下，这已经是人类自身能够挖土的极限深度了，要是再深，就得借助工具了。在这个深度，我们还可以看到一些普通的墓穴和地下室。地下 3 米，这个深度是有些蚯蚓的居住地。蚯蚓是一种无脊椎动物，通过在土壤中钻洞来寻找食物和繁殖。地下 4 米，这是埃及法老图坦卡蒙坟墓的深度，所以在这个深度，可能会存在一些古墓、文物等；在这个深度，你还可能看到黑长蚁的蚂蚁窝。地下 6 米，这是金属探测器所能探测的较大深度；这也是秦始皇陵兵马俑所在位置的深度。地下 8 米，在这个深度，你可以看到一些老旧楼房的地基和地下管道、电缆等人类设施。地下 10 米，你可以看到越南的“地下长城”，这是越南地下隧道工程。

我们已经看到了地下10米存在的事物，那么10米以下呢？跟随我们的视角，继续向下。地下12米，这是尼罗鳄所挖洞穴的深度。尼罗鳄是一种大型爬行动物，主要生活在尼罗河流域，

尼罗鳄

尼罗鳄，是鳄目鳄科鳄属大型鳄鱼。尼罗鳄体型庞大，身体呈橄榄绿色至咖啡色，有黑色的斑点及网状花纹；下颚第四齿由于上颚的凹陷向外面突出；具有5枚前颌齿，13～14枚上颌齿，14～15枚下颌齿，总齿数为64～68枚；尾巴强而有力。成年尼罗鳄的体重重达一吨。幼体尼罗鳄呈深黄褐色，身体和尾部有明显的横带纹，成年后横带纹的颜色变淡。

它们会在地下挖出一些洞穴来筑巢和隐藏食物。地下15米，你可以在这个深度看到爱因斯坦的时间胶囊，里面有爱因斯坦写给5000年后人类的一封信，信中的具体内容也只有5000年后的人类才能知道了。地下18米，这是人类建造防空洞的普遍深度。防空洞是战争时期的产物，它可以保证人类在里面不会被飞机投下的炸弹伤害到，还可以有效地防止核武器的攻击。

再往下，我们就到达地下 20 米了，到达这个深度，地底环境比较恶劣，存在的微生物也比较少，但是会存在一些人类建筑，比如地铁。到达地下 21 米，我们可以看到巴黎的地下墓穴。它是法国巴黎一处著名的地下遗迹，最初是石灰岩采石场，后来被改造成存放遗骨的地下墓穴。到了地下 35 米，是秦始皇陵的地宫所在深度。再往下就是地下 97 米，这是莫斯科胜利公园地铁站的深度，它不仅是地铁站，在战时还可以用作防空洞，用来躲避炸弹的伤害。

在地上挖一个洞，我们已经看到了地下 100 米之内我们可以看到的东西了，那么地下 100 米之下我们可以看到什么呢？首先，我们知道地壳主要由岩石构成，所以地下 100 米我们肯定可以看

秦始皇陵地宫

秦始皇陵地宫是指秦始皇的地下陵墓，是放置棺椁和随葬器物的地方。

有关秦陵地宫具体位置经过专业人士的勘测已发现，在秦始皇陵的大山丘里，但因为下面有下水道，整体复杂，不敢贸然去挖；但在 1962 年，考古人员绘制出了陵园第一张平面布局图，发现规模宏大的地宫在封土堆顶台及周围以下，距离地平面 35 米深，东西长 170 米，南北宽 145 米，主体和墓室都是矩形。墓室在地宫中央，高 15 米，大小相当于一个标准足球场。

到岩石，那除岩石外，我们还可以看到什么呢？其实，地下 100 米下，是人类用来掩埋核废料的地方，中低放废物有时做浅地层处置，通过固化封装后存放在专用处置场。而高放废物需深地质处置，通常埋于地下 500 米至 1000 米的地层深处。因此我们在到达地下 100 米后得特别小心。除了这些，我们还可以看到什么呢？继续往下，在地下 115 米，我们可以看到英法海底隧道。

核废料

核废料泛指在核燃料生产、加工和使用过程中不再需要的并具有放射性的废料。也专指核反应堆用过的乏燃料，经后处理回收钚 239 等可利用的核材料后，余下的铀 238 等不再需要的并具有放射性的废料。

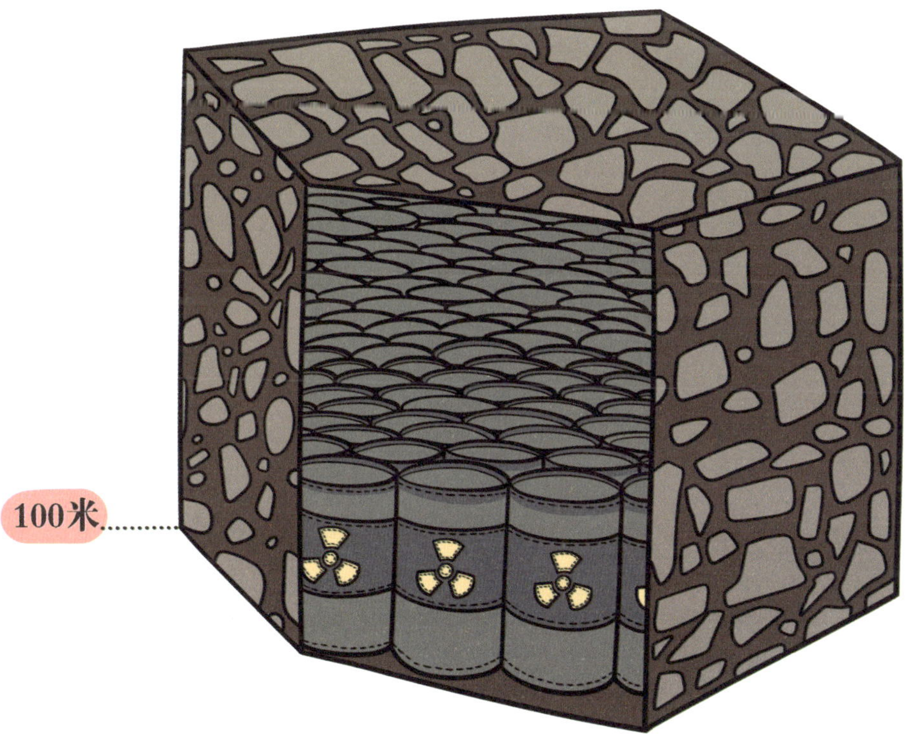

再往下就到了地下 120 米，我们可以在这里看到世界上已知的最深的树根，这是位于南非的一棵无花果树的树根。地下 155 米，我们可以看到瑞典萨拉银矿的矿井套房。

再往下，我们可以到达地下 200 米。地下 212 米，这里有着世界上最深的马拉松赛道。地下 240 米，我们可以在这里看到日本修建了 24 年的青函海底隧道。再往下就到了地下 525 米，在这个深度，我们可以看到俄罗斯的米尔钻石矿，这是世界上最大的钻石矿。再往下，我们就可以直接到达地下 1000 米了，在这里，我们可以看到日本储存的 5 万吨纯净水。再往下 1 米，地下 1001 米，这里生活着一种恐怖的生物，冥王蜈蚣，这是无脊椎动物的王。跟随视角往下，我们可以看到地下 1480 米的美国南达科他州

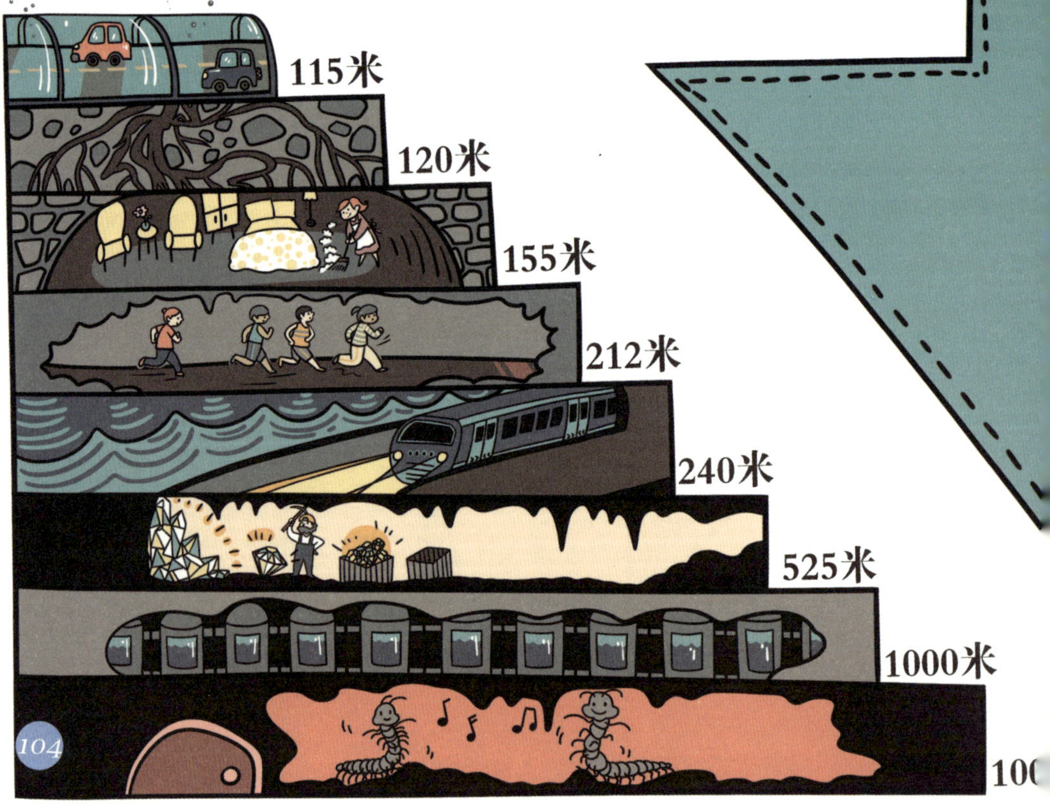

的金矿。再往下到达地下 1500 米时，我们可以看到一个矿井，用于开采煤矿。地下 1642 米，这是贝加尔湖的深度。再往下我们可以看到地下 2000 米的风景。地下 2197 米，这个深度有世界上最深洞穴之一的库鲁伯亚拉洞穴；地下 2400 米，这里有我国研究暗物质的实验室——锦屏地下实验室。再往下 1000 多米，到达地下 3600 米，我们可以看到一种线虫类动物，那就是恶魔线虫，这是可以生活在地下几千米极端环境中的生物，也是目前人类已知的活动范围最深的陆地生物。地下 4000 米，这是世界上最深最大金矿——姆波尼格金矿的深度。

目前人类仅仅挖到地下 12262 米深（科拉超深钻孔是吉尼斯

世界纪录收录的“对地壳的最深渗透”。），再往下存在什么呢？人类就只能通过一些设备来进行探测了。那么，未来人类可以到达多深的地下呢？几万米深的地下，还会存在什么未知的东西呢？这些都是目前人类所不知道的。所以，对深地的探测是非常重要的，这需要我们拥有先进的设备和技术，就让我们一起努力，一起向着未知的地下进行探索吧。

请思考：

1. 考古挖掘的深度一般为多少米？
2. 地铁施工，是怎么在地下打洞、开凿隧道的？

藏在地下的钻洞高手你见过吗？

我们知道地球有地壳、地幔和地核，而我们现在到达地底最深处仅有 12262 米，而地壳的平均厚度达到了 17 千米，也就是说，以人类目前的科技手段，还不能把地壳挖穿，也就不能对地壳以下的地幔、地核进行探测。想要挖穿地壳，一定离不开那些钻洞的高手，也就是先进的钻洞设备，让我们一起来看看目前人类都有哪些高科技的钻洞高手了吧。

在认识人类的高科技产品之前，我们先来看一下自然界中有哪些钻洞高手吧，因为它们是我们的老师，我们可以从它们身上学到许多有用的钻洞知识，然后制造出许多先进的设备来钻洞，为我们探索地下的世界提供了思路。

自然界的钻洞高手里，藏着哪些“精灵”？

自然界中的钻洞高手有很多，比较著名的有蚯蚓、鼹鼠与穿山甲。首先，我们来看看蚯蚓吧。蚯蚓属于无脊椎动物，身体呈圆柱形，由许多相似的环状体节组成，每个体节都可以运动，这使它们可以在土中轻松移动。蚯蚓几乎全世界都有，种类繁多，在中国已知的蚯蚓就有200多种。它们喜欢生活在潮湿、阴暗、温暖的环境中，并且白天在土中睡觉，晚上天黑之后才会从泥土之中钻出来透气。蚯蚓的生命力也特别顽强，将它们切成几段，仍然可以存活下来。它们可以在土中自由穿梭，不仅仅因为它的环状体节，还因为它拥有发达的肌肉，可以通过肌肉收缩来推动身体向前运动，实现钻洞。在钻洞的过程中，蚯蚓还会分泌出一种湿润的物质，帮助它们更快速地在土壤中移动。

鼹鼠，属于哺乳动物，是群居动物，主要栖息于森林草原和半沙漠地区。它们体长10厘米左右，身材属于矮胖型，四肢较为短小。鼹鼠比较喜欢干燥的环境，并且终生生活在地下，仅会在晚上的时候偶尔钻出地面进行活动。鼹鼠为什么是钻洞高手呢？这是因为它们的前肢非常强壮，指端具有扁爪，可以帮助它们快速地挖开土壤。此外，它们的牙齿特别适合咀嚼和挖掘土壤，并且它们的牙齿会不断生长，因此只能以磨损的方式保持锋利。因为鼹鼠经常生活在地下，所以它们的视觉非常差，但是这并不影响它们在地下快速移动，因为它们的鼻子和触须非常敏感。

穿山甲，也属于哺乳动物，主要生活在平原、丘陵地带，喜欢潮湿、炎热的环境，可以爬树。它的体外覆盖着厚厚的甲片，并且挖洞能力极强，所以被称为穿山甲。它们白天在洞中休息，晚上才会出来觅食和活动。由于人类的捕杀，穿山甲的数量已经急剧减少，已经被列为中国的一级保护动物。穿山甲为什么钻洞能力强呢？这是因为它身上覆盖着厚厚的甲片，这层甲片非常坚硬，并且密集地排布在体外，这帮助它们在挖掘土壤时可以避免泥土进入体内；并且它的尾巴又硬又长，可以在它们挖掘时支撑身体，保持稳定；它的前肢也像鼹鼠一样，十分强壮，并且长有锐利的爪子，非常适合用于挖掘土壤和石头，使它们可以快速地挖掘出一个地下隧道或者洞穴。

我们已经认识到自然界中的钻洞高手了，但是这些钻洞高手不能帮助人类挖洞，并且它们不适合在很深的地下进行工作，所以真正的钻洞高手还得是人类的高科技设备，那么可以帮助人类在地球上挖洞的设备有哪些呢？

帮人类钻洞的高手，到底是啥高科技设备呢？

目前比较常见的钻地机械有盾构机、钻井平台与各种钻机，如冲击钻、定向钻机等。首先介绍一下钻机，钻机是在土壤、岩石中钻孔的设备，用于地质勘探和矿产开发等，通常包括一个底座和一个钻头，并可以根据不同的环境和地质条件来选择不同的钻头。钻机的钻头就是一把可以钻入地下的锋利刀片。钻机工作时，钻头旋转着向前推进，就像是我们用刀切西瓜一样把岩石土壤切碎，从而进入地下。钻机里面的冲击钻能够产生很强的冲击力，一般被用在坚硬的岩石中进行钻孔；而定向钻机则是可以控制钻

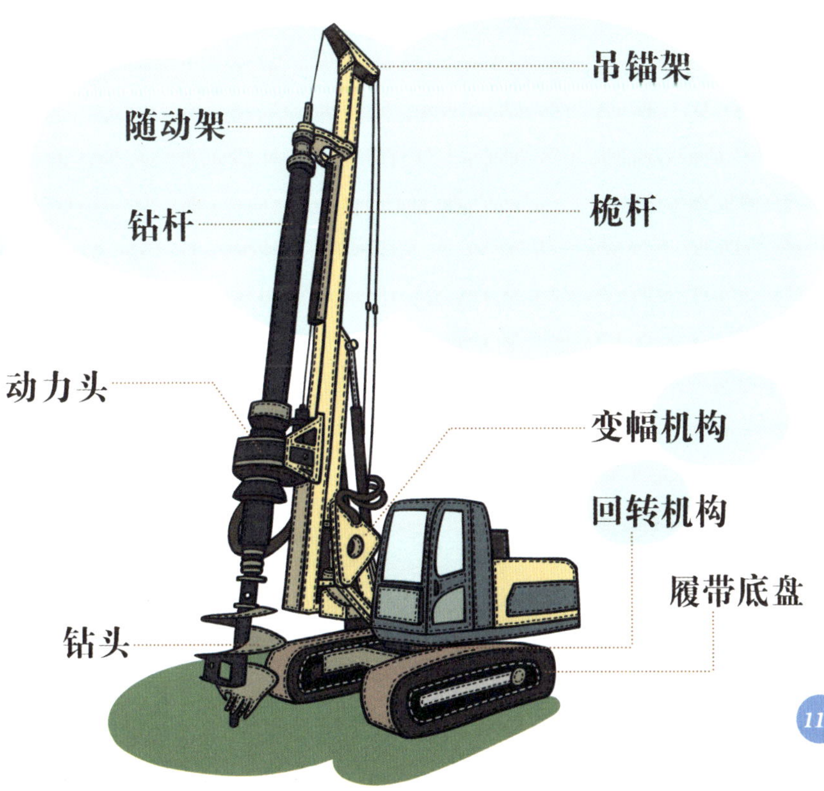

头的方向和速度，从而使钻孔可以按照人们开始就预先设计好的轨迹进行；旋挖钻机则属于综合性钻机，适用于砂土等地质环境的施工，既可以挖洞，也可以对已有的洞进行扩大。我国成功研制了世界上最大的旋挖钻机，并创造了旋挖钻机最大成孔直径的世界纪录。

盾构机是一种大型的工程机械设备，主要用于隧道和地下通道的挖掘。盾构机的主要组成部分有圆形外壳、推进系统、挖掘系统和排渣系统。首先是圆形外壳，它是盾构机的盾牌，在工作时可以保护工人与机器；推进系统是盾构机的双腿，用来推动盾构机向前移动；挖掘系统和排渣系统就是对岩石和土壤进行挖掘，并将挖掘出来的岩土给排出。它的具体工作过程就是：当盾构机开始工作时，它会先挖掘出一条通道，然后将圆形的外壳放下来，

覆盖住通道的顶部，这样就可以保护工人和机器在挖掘过程中不会被石头或泥土砸伤；然后，推进系统会推动盾构机向前移动，同时挖掘系统会继续挖掘出新的土石；排渣系统会将挖掘出的土石运走，然后重复这个过程，直到完成整个隧道或通道的挖掘。

最后，就是我们的钻井平台，它是一个巨大的结构，主要用于对海床下的石油和天然气进行探测和开采。首先，钻井平台有一个高高的塔架深入海底，以保持钻井平台的稳定，防止海上狂风与海浪的影响；其次钻井平台肯定也有钻井设备，这些设备通过很长的钻杆和尖锐的钻头钻入海底的岩石和土壤中，当钻头钻到含有石油或者天然气的地层时，石油和天然气就会顺着钻杆流到钻井平台用于储存资源的设备里，然后将石油和天然气运往世界各地。

提到钻地，就不得不提到中国的首个万米深井——深地塔科 1 井，它位于中国新疆的塔里木油田，主要用于探测地球深部的地质结构与资源分布，设计深度超过 10000 米，目前正在向着地球的深部持续挺近。这口井使用的设备是我国自主研发的全球首台 12000 米级的自动化钻机，并配备了可以在 200℃高温下工作的工作液，为我国钻探万米深井提供了技术和装备上的保障。2023 年 5 月 30 日，深地塔科 1 井在塔克拉玛干沙漠开钻；2023 年 10 月 25 日，钻井深度突破 8000 米；2025 年 2 月，中国石油集团宣布，深地塔科 1 井在地下 10910 米胜利完钻，标志着中国成为世界上最快挖出超 10000 米深井的国家，深地塔科 1 井也将成为世界上到达地底第二深的井（世界到达地底最深的是苏联的科拉 SG-3 井，12262 米）。至此我国的深地技术到达了一个新的台阶，

我国也成为了世界上少数几个能够进行万米深度钻探的国家之一。

在深地塔科 1 井的挖掘过程中，遇到了许多的挑战。首先就是这口井要到达地下很深的地方，那里的温度和压力都很大，因此给钻井工作带来了极大的困扰；此外，地下的地质结构也非常复杂，需要科学家进行详细的勘探与研究。

为大家介绍了地下的钻洞高手，那么大家有没有什么新奇的想法呢？比如我们目前的技术，仍然不足以支撑人类对更深的地底进行探测，那么我们应该怎么办呢？是发明新的耐高温的材料来研制钻头，还是发明出新的设备到达更深的地下呢？或者是仿照自然界的钻洞高手，来发明出新的设备呢？这些，都是我们未来发展的方向，让我们一起努力吧！

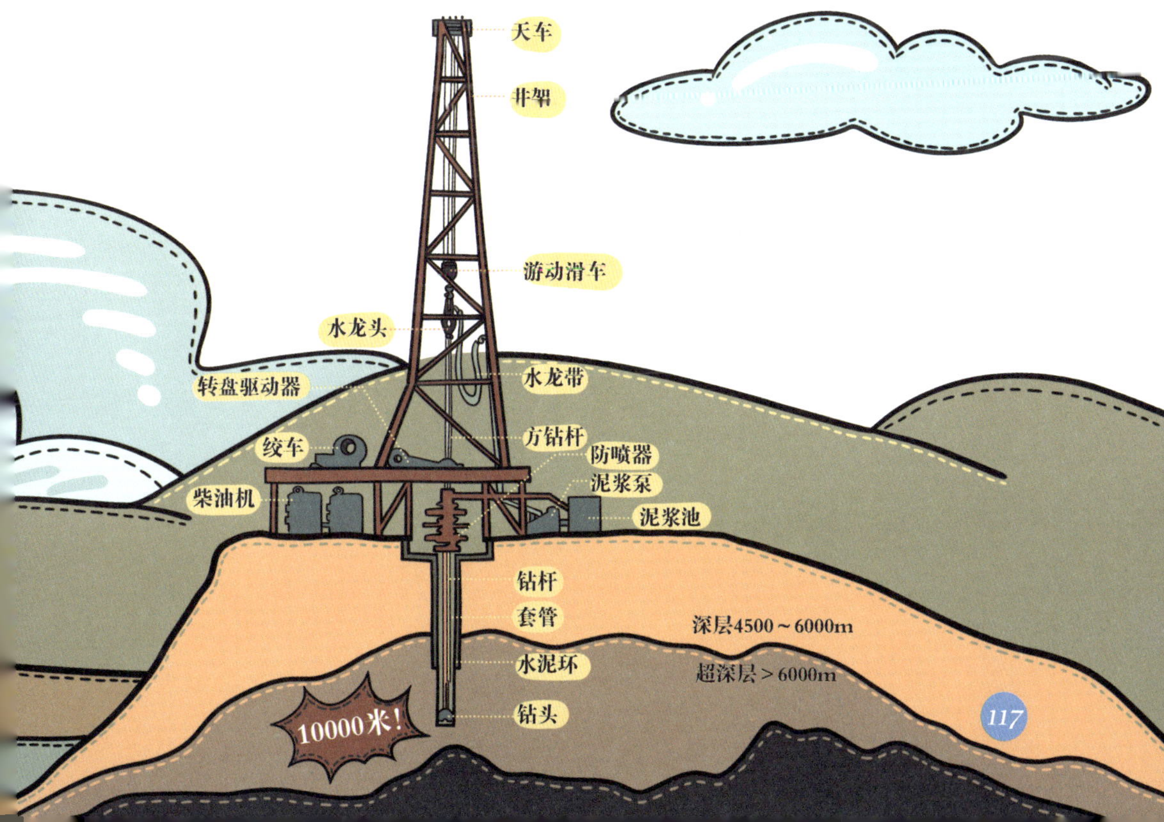

请思考：

1. 蚯蚓身体柔软，在泥土里是如何打洞的？海里的沙虫在沙子里又是怎么打洞的？

2. 海洋钻探开采与陆地钻探有什么差别？

3. 陆地钻探的意义是什么？